Dans le ventre
de la bête

Jack Henry Abbott

Dans le ventre de la bête

PRÉSENTATION DE
NORMAN MAILER

POSTFACE DE JEAN-FRANÇOIS CHAIX

TRADUCTION DE GENEVIÈVE LEBAUT

Éditions Lacombe

Titre original :

IN THE BELLY OF THE BEAST

Publié avec l'accord de Scott Meredith Literary Agency, Inc., 845 Third Avenue, New York, N.Y. 10022.

REMERCIEMENTS

Le montage des lettres qui composent ce volume — des extraits de lettres adressées à Norman Mailer — est dû à mon éditeur chez Random House, Erroll McDonald. Qu'il en soit ici remercié. Ma sœur a traversé avec moi tout ce que je décris dans ce livre et a gardé vivant en moi quelque chose qui, sans elle, serait mort depuis longtemps. Je lui en suis reconnaissant.

A Carl Panzram, William (Whitey) Hurst, « Gypsy » Adams, La Count Bly, Sam Melville, George Jackson, « Curly » McFee, George (Sugar Bear) Lovell, Gary Gilmore — qu'ils reposent en paix.

Je travaillais depuis quelque temps sur le Chant du bourreau *quand je reçus un message de l'agent littéraire Morton Janklow. Il me faisait suivre une lettre qui lui avait été envoyée à mon attention, supposait-il parce que nous avions cosigné une histoire parue dans le magazine People. Quoi qu'il en soit, la lettre venait d'un détenu nommé Jack H. Abbott et Janklow pensait qu'elle avait quelque chose d'original. Après l'avoir lue, je compris ce qu'il voulait dire.*

Un écrivain peut recevoir par an jusqu'à plusieurs centaines de lettres de gens qu'il ne connaît pas. En général, ils veulent quelque chose : voulez-vous lire leur œuvre, ou écouter l'histoire de leur vie et l'écrire ? Mais cette lettre offrait de m'instruire.

Abbott avait lu dans un journal que je faisais un livre sur Gary Gilmore et la violence en Amérique. Il voulait m'avertir, disait-il, que très peu de gens connaissaient quelque chose de la violence *dans les prisons. Aucun écrivain qu'il avait lu sur ce sujet ne paraissait en avoir une idée. Et il estimait que même les hommes qui avaient passé cinq ans en prison ne savaient toujours quasiment rien sur ce sujet. Il fallait sans doute une décennie derrière les barreaux pour que la perception véritable de ce milieu pénètre votre psychologie et votre chair. Si cela m'intéressait, il pensait pouvoir expliquer quelques aspects de la vie du détenu Gilmore.*

Être un écrivain à succès comporte de ces paradoxes malheureux. Pour commencer, vous n'avez guère l'occasion de lire de bons livres (c'est trop démoralisant quand votre propre travail n'avance pas) et vous en venez à redouter le courrier à faire. Dix fois par an peut-être, vous perdez deux jours à rattraper votre retard et vous prenez peu de plaisir à écrire des lettres. Vous y consacrez le temps qui aurait pu être accordé à écrire des choses plus gratifiantes, et il y a tant de lettres auxquelles il faut répondre ! Peu d'écrivains encouragent les correspondances. Aussi, à une lettre intéressante, réfléchie, même généreuse, de quelqu'un que je ne connais pas, je réponds souvent par une brève note d'excuses.

Mais la lettre d'Abbott était intense, directe, sans fioritures, et détachée — un mélange inhabituel.

En réfléchissant bien, je ne savais pas grand-chose de la violence dans les prisons ; je le lui dis et proposai de lire soigneusement ce qu'il avait à dire. Je reçus une longue lettre. Elle était remarquable. J'y répondis, et une autre arriva, tout aussi remarquable. En moins de deux semaines, je me retrouvai en plein dans une correspondance assidue. Je ressentais cette admiration mêlée de crainte que l'on éprouve devant un phénomène. Abbott avait un ton à lui. Je n'avais jamais rien entendu de pareil. A son mieux, quand il connaissait exactement ce dont il parlait, il avait, pour aller jusqu'au bout de sa pensée, l'œil du coureur automobile abordant un virage, qui fait de la ligne devant lui une courbe. Il écrivait diaboliquement bien ; c'est-à-dire (puisque nul parmi nous ne reconnaît la vérité même si un ange la lui souffle) qu'en le lisant on ne pouvait s'empêcher de s'exclamer : « Mais oui, il a raison, mon Dieu, oui, c'est vrai ! » Inutile de le préciser : ce qui est vrai n'en est pas moins terrible à envisager. Lire les lettres d'Abbott n'est guère un prélude à de doux rêves. C'est l'enfer qui s'ouvre devant vos yeux : le quartier de haute sécurité d'une grande prison.

Pourtant, je n'étais pas dans ce domaine une sorte de touriste innocent parti à l'aventure. Je l'ai dit, je travaillais sur le Chant du bourreau, *qui, outre des ouvrages, des articles sur les prisons et des entretiens avec des détenus et des directeurs de prison, m'avait également donné l'occasion de lire les lettres que Gilmore avait écrites à Nicole dans les six mois séparant son incarcération de sa mort. Ces lettres avaient leur propre façon de pénétrer dans les profondeurs et les horreurs de la vie carcérale. Gilmore avait des talents littéraires qui étaient loin d'être négligeables. Cependant, il ne pouvait m'offrir ce qu'Abbott m'apportait. Gilmore, l'auteur, pas le meurtrier, était un romantique et un mystique : au bout du compte, il voyait dans l'incarcération une espèce de* karma. *Quelle que fût sa haine de l'emprisonnement, il le considérait aussi comme son destin. La vie avait ses ombres et ses lumières, la prison était l'odeur putride des recoins sombres, et peut-être avait-il mérité d'y séjourner. Telle était la terrible équation qu'il établissait. Gilmore croyait qu'il ne trouverait pas de bonheur de ce côté de la mort.*

Mais les lettres d'Abbott révélaient un intellectuel, un révolutionnaire, un chef en puissance, un homme obsédé par une idée plus élevée des relations entre les hommes dans un monde meilleur que la révolution pouvait forger. Quand il était au summum du bonheur, son esprit voulait s'adresser au vôtre du haut de son élévation philosophique. Il n'était pas intéressé par les détails, comme Gilmore, mais seulement par la pertinence des détails par rapport à l'abstrait. La prison, malgré ses cauchemars, n'était pas un rêve dont les racines pouvaient vous mener à l'éternité, mais une machine infernale, une machine de destruction, un modèle d'anus artificiel pour une société prodigieusement malade.

Les deux hommes ne pouvaient guère être plus différents. Tout en étant toujours à l'affût d'une évasion, Gilmore continuait à concevoir la mort comme une espèce de solution romantique — lui et Nicole pourraient être réunis de l'autre côté ; par contraste, Abbott pouvait être préparé par son code du criminel à affronter la mort dans n'importe quelle rencontre de hasard, mais il la haïssait. C'était l'ultime injustice, l'obscénité finale que la société pouvait lui infliger. Toutefois, et c'est une de ces ironies qui stupéfient Abbott, il est le premier à faire remarquer : « Supposons que vous alliez dans n'importe quelle prison où Gilmore et moi serions détenus, et que vous demandiez à connaître tous les prisonniers ayant un certain profil, en prison ou en dehors, profil qui comprend le comportement observé (et supposé). On vous donnera un jeu de dossiers, une liste de noms, et parmi ceux-ci vous aurez toujours le mien et celui de Gilmore. » Oui, superficiellement, la morphologie est similaire. Tous deux ont été des délinquants juvéniles, tous deux ont été incarcérés pendant la majeure partie de leur adolescence dans des établissements publics — comme Abbott l'expliquait dans ses premières lettres, les gosses que vous connaissiez à la maison de redressement étaient pour ainsi dire des parents quand vous les retrouviez en prison, et tous deux avaient peu d'expérience de la liberté. A trente-six ans, Gilmore avait passé dix-huit des dernières vingt-deux années de sa vie en prison ; et Abbott, bien que plus jeune, avait, comparativement, fait plus de temps. Incarcéré pour la première fois à l'âge de douze ans, il avait été libéré une fois pour neuf mois, puis repris à l'âge de dix-huit ans pour avoir encaissé un chèque sans provision. On lui donna le maximum, cinq ans. Comme il le dit dans son œuvre — dans une description de meurtre qui n'a rien de banal — il tua ensuite un autre détenu et fut condamné pour une durée indéterminée, de dix-neuf ans maximum. Il n'est pas sorti de prison depuis, à l'exception d'une période de six semaines, quand il s'évada du quartier de haute sécurité de la prison d'État de l'Utah et passa quelque temps en cavale en Amérique et au Canada. Il détient le rare honneur parmi les détenus d'avoir été le seul homme de ce pénitencier à s'évader du QHS.

Il existe d'autres similarités entre Gilmore et Abbott. D'abord, ce sont tous deux des criminels. Ils sont, dans leur propre logique, l'élite d'une population pénale, ils font partie de ces détenus respectés des autres, et des autorités — car ce sont des durs. Ils se considèrent comme des hommes qui fixent le code pour cette cité, la prison, qui est tenue par le directeur et ses surveillants. En dessous de cette hiérarchie dominante, les détenus échafaudent leur propre système. Ils traitent entre eux comme des forces qui s'affrontent, ils rendent la justice, éduquent les jeunes, transmettent le code.

Il existe un paradoxe au cœur même de la science pénale, d'où dérivent les milliers de maux et de détresses du système carcéral. C'est que non seulement les pires des jeunes sont envoyés en prison, mais aussi les meilleurs — c'est-à-dire les plus fiers, les plus courageux, les plus audacieux, les plus imaginatifs, et les plus invaincus des pauvres. Là commence l'horreur. Les prémisses de l'incarcération qu'Abbott nous expose à fond, sont que la prison est équipée pour écraser les criminels qui sont aussi des lâches et les soumettre aux lois sociales, mais ne peuvent que briser l'âme des braves qui sont aussi des criminels, ou les endurcir jusqu'à ce qu'ils soient plus durs que l'étau qui les enserre.

Si vous pouvez concevoir (c'est très difficile de nos jours) une société davantage préoccupée du potentiel créatif des jeunes violents que de la menace qu'ils font planer sur les banlieues, vous avez peut-être une solution pour les prisons du futur. La réponse doit se trouver quelque part entre la Légion étrangère et quelque prodigieuse extension du grand large, du moins pour tous ces délinquants juvéniles qui sont attirés par le crime en tant qu'expérience possible — parce que c'est plus excitant, plus expressif, plus mystérieux, plus transcendant, plus rituel que n'importe quelle autre expérience qu'ils ont pu connaître. Pour eux, il y a un dialogue possible. La direction des prisons peut dire : « Vous êtes des durs ? Alors montrez-nous que vous avez des couilles en grimpant ce mur de rochers. » Ou en descendant les rapides en kayak, en volant en deltaplane — mettez en jeu votre vie de n'importe quelle manière qui n'entraîne pas la mort d'autrui. Tandis que pour tous ces petits criminels qui ne sont pas foncièrement attachés à de telles mises à l'épreuve existentielles, qui ont juste mal choisi leur métier, la prison n'est pas un problème. Ils peuvent évoluer sans difficulté de la prison à la semi-liberté ou aux centres d'hébergement surveillé. Pour eux, une peine de deux ans peut même remplacer le lycée. Mais la pratique sociale qui consiste à mélanger ces deux sortes de délinquants est un désastre, une explosion. Les timides deviennent des homosexuels et des mouchards, les courageux deviennent cruels. Car lorsque des audacieux et des timides sont obligés de vivre ensemble, le courage se transforme en brutalité et la timidité en fourberie. Le mariage entre un homme courageux et une femme craintive ne peut être surpassé en misère conjugale que par l'union d'une femme courageuse et d'un homme craintif. Les systèmes carcéraux répètent à l'infini de telles relations.

Abbott ne nous laisse pas oublier pourquoi. Je ne vois aucun écrivain américain qui ait analysé avec autant de détails le système des prisons : vider et corrompre les timides, et briser ou brutaliser les braves. Aucun système primitif qui demande à un être humain courageux d'abandonner son courage ne peut œuvrer dans le sens du bien commun. Il viole la substance universelle de l'âme sur laquelle on bâtit les grandes civilisations.

Mais nous ne vivons pas dans un monde qui essaie de résoudre ses problèmes d'emprisonnement. Ce serait utopie que de le supposer seulement. L'horreur sous-jacente est peut-être que nous vivons tous dans les tissus gonflés d'un corps social imprégné de mauvaise conscience, si mauvaise en réalité que le rire de l'hyène résonne de chaque téléviseur, et est en passe de devenir notre véritable hymne national. Nous sommes tous si coupables de la manière dont nous avons laissé le monde qui nous entoure devenir plus laid et privé de goût d'une année sur l'autre, que nous nous rendons à la terreur et nous y plongeons. Le détrousseur de passants prend des dimensions de Golgotha et la classe moyenne se réfugie dans des cités murées où patrouillent des gardes armés. Là, les prisons ont d'épaisses moquettes, et les gardiens disent « Monsieur » aux prisonniers. Mais ce sont des prisons. La mesure de l'emprisonnement progressif de la société peut être trouvée à la base — dans la société des prisons précisément. La mauvaise conscience de la société apparaît clairement dans la loupe incendiaire du pénitencier. C'est pourquoi nous ne parlons pas d'améliorer les prisons — c'est-à-dire de leur faire subir des tours de prestidigitation — mais seulement de renforcer la loi et l'ordre. Mais cela n'est pas plus faisable que le rêve de rémission du cancéreux. Lire ce livre c'est séjourner dans le pays de la perception crue et vraie — nous n'aurons pas la loi et l'ordre sans une révolution dans le système pénitentiaire.

Prenons la chose sous un autre angle. A un moment dans ses lettres, Abbott parle de la façon dont il s'est éduqué lui-même en lisant les livres que sa sœur lui rapportait d'une librairie sympathisante du dehors. Pendant cinq ans et demi, en haute sécurité, il a lu, avec une intensité qui se retrouve dans son style, des auteurs tels que Niels Bohr, Hertz et Hegel, Russell et Whitehead, Carnap et Quine. Le plus important a été Marx. Nous assistons à ce phénomène : un délinquant juvénile, ayant grandi dans des maisons de redressement, poignarde mortellement un autre détenu, prend des drogues quand il peut, lit des livres en QHS pendant cinq ans, puis, comme Marx, essaie de percevoir le monde et d'avoir une vision globale de la société. La témérité du délinquant juvénile devient l'audace de l'intellectuel autodidacte. Ce n'est que par la tendre réponse du cœur que nous pouvons imaginer ce que ce doit être de vivre seul avec une telle faim et obtenir la chair de la culture, sans le squelette. Abbott cherche à comprendre le monde ; il dominerait le monde avec son esprit, pourtant dans sa vie adulte il a passé six semaines dans le monde. Il connaît la prison comme le passeur connaît la traversée du Styx. Mais le monde, Abbott ne le connaît que par les livres. Il est le noble équivalent de Chauncey Gardner, l'observateur avili de Jerzy Kozinski, qui apprend à connaître le monde en regardant la télévision. Et pourtant, quel repas fabuleux Abbott a fait. Il a déchiré la chair de la culture avec ses doigts, il a écrasé les os avec ses dents. Il a un esprit pareil à nul autre qui parle du XIXe siècle aussi clairement que du XXe. Il y a des moments où la voix qui pénètre votre esprit est de toute évidence celle du descendant d'un

Marx et d'un Lénine vierges de toute intervention de l'Histoire. D'ailleurs Abbott, qui est mi-irlandais, mi-chinois, ressemble même, légèrement mais indéniablement, à Lénine et la voix de Vladimir Ilitch Oulianov s'élève de certaines de ces pages.

Nous avons donc une certitude. Quiconque lira cette œuvre ne sera pas d'accord avec toutes les idées d'Abbott. C'est impossible. D'une part, il est le survivant livide du credo ultra-révolutionnaire de la Déclaration d'Indépendance : « La vie, la liberté et la poursuite du bonheur. » La liberté et la justice sont de l'oxygène pour Abbott. Il écrit même :

« Je sais par expérience que l'injustice peut être la seule (sinon la principale) cause de folie derrière les barreaux. Vous seriez surpris d'apprendre ce qu'une dose de bonne vieille oppression peut faire sur un individu. »

Écoutez ! C'est la voix du diable. Nous savons que c'est vrai à peine l'avons-nous entendue. Bien sûr, Abbott est également communiste. De quelle sorte, je ne sais pas exactement. Il semble en tenir pour Mao et Staline à la fois, mais vaguement. Il est plus clair que ses sympathies vont vers le tiers monde, vers Cuba, l'Afrique et les révolutions arabes. Combien de temps il survivrait dans un pays communiste, je ne sais pas. Il est évident que nous ne pouvions être d'accord là-dessus. Nous nous sommes écrit un peu à ce sujet, mais pas tellement. Je n'ai plus comme lui le goût de la polémique. De plus, je n'ai pas passé ma vie en prison. Je peux me permettre le désespoir de bon ton qui consiste à trouver la Russie en gros aussi abominable que l'Amérique, mais il faut dire que j'ai fait l'expérience de rencontrer des délégations de bureaucrates russes et ils ressemblent à des gardiens de prison dans des uniformes de gardiens de prison. Je suis libre, je peux donc me permettre cette vision. Mais si j'avais passé ma jeune vie en prison, et découvert que les serviteurs de mon pays étaient mes ennemis, je trouverais très difficile de ne pas croire que les fonctionnaires d'un autre pays puissent être illuminés par une autre philosophie.

Je dis cela, et aussi que je suis beaucoup plus impressionné par la dimension littéraire des écrits d'Abbott sur la prison que par ses analyses générales sur les affaires étrangères et la révolution. Pour moi c'est d'un côté la chair, de l'autre le squelette (qu'il n'a pas eu). Mais je ne me moque pas. Il a forgé ses idées révolutionnaires à partir de la souffrance et des marques laissées dans sa chair et ses nerfs par une vie en prison. Il serait peut-être tout aussi révolutionnaire, ou même plus, après dix ans de liberté. Ou un homme complètement différent. J'espère que nous aurons l'occasion de le découvrir. Au moment où j'écris ces lignes, il semble probable qu'Abbott sera libéré sur parole cet été. Pour lui certainement le moment est venu de sortir. Il y a un point au-delà duquel un détenu ne peut plus rien trouver en prison, pas même la préservation de sa volonté. Et Abbott, je crois, a atteint ce point. C'est pourquoi, s'il sort, nous aurons peut-être un nouvel écrivain de la plus grande stature parmi nous, car il s'est forgé lui-même sur une enclume et a encore la moitié du monde à découvrir. Quand nous parlons de possibilité de grandeur chez de jeunes écrivains, il n'y a jamais plus d'une chance sur cent que nous ayons raison, mais cette chance est si vivace chez Abbott qu'elle réaffirme l'idée même de littérature en tant qu'expression de l'homme qui survivra à tous les obstacles. J'aime Jack Abbott pour survivre et pour avoir appris à écrire aussi bien.

NORMAN MAILER — *Mars 1981*

Avant-propos

Critiquant les lois économiques bourgeoises telles qu'elles se dégagent des relations entre Robinson Crusoé et Vendredi — des lois qui sont toujours enseignées dans les écoles aussi régulièrement que l'histoire de Jésus-Christ — Engels écrit dans l'*Anti-Dühring :*

« M. Dühring a développé son argumentation dans les domaines de la morale et du droit. A propos de l'homme, il a dit : un homme pensé comme seul, ou, ce qui revient au même, en dehors de toute relation avec autrui, ne peut avoir de *devoirs ;* pour lui, il ne peut être question de ce qu'il *doit* faire, mais de ce qu'il veut faire ! Mais qu'est cet homme, pensé comme seul et sans devoirs, sinon le fatal juif originel, Adam au paradis, sans péché, parce qu'il n'y a pas possibilité pour lui d'en commettre ?

« ... Adam est destiné à tomber dans le péché. A côté de cet Adam apparaît brusquement — non, certes, une Ève à la chevelure ondoyante, mais *un deuxième Adam.* Et aussitôt, Adam contracte des devoirs et ne les respecte pas. Au lieu de traiter son frère comme un égal en droit, et de le serrer contre son cœur, il le soumet à sa domination, il fait de lui un esclave. »

Plus loin, Engels dit : « Tout ce que nous pouvons dire c'est que nous préférons la vieille légende tribale des sémites, selon laquelle il vaut la peine pour un homme et une femme de sortir de l'état d'innocence... et qu'à M. Dühring restera la gloire incontestée d'avoir construit son péché originel avec deux hommes. » En d'autres termes, le péché originel, c'est les rapports sociaux.

Un criminel produit par l'État

J'ai voulu en quelque sorte transmettre les sensations — la pression ambiante, pourrait-on dire — de cette expérience vécue, la purgation d'une peine de longue durée dans une prison américaine. Cette phrase n'exprime pas exactement ma pensée. J'ai voulu dire ce que cela signifie, être en prison, après avoir passé son enfance dans des maisons de correction. D'être en prison depuis si longtemps, c'est difficile de se rappeler exactement ce que l'on a fait pour y entrer. Si longtemps, qu'il n'est plus très facile de distinguer ses fantasmes sur le monde libre de la connaissance que l'on en a. Si longtemps, que la liberté correspond à l'idée de paradis dans les rêves d'un homme libre. Mourir et aller dans le monde libre...

Cette partie de moi qui se promène dans ma tête et ne voit ni ne sent jamais d'objets *réels,* mais existe et s'anime dans mes passions et mes émotions, vit ce monde comme un horrible cauchemar. Je parle du *moi* de mes rêves. De celui qui apparaît dans mes rêves comme étant moi. Celui qui est à la fois le sujet et l'objet de tous ces symboles d'au-delà du réel. Celui qui voyage dans ma vie, à l'intérieur de moi, vers ce que saint Jean de la Croix concevait comme une quête nocturne de la plénitude. Ceux qui parlent des fantômes des morts qui errent dans la nuit en laissant des projets irréalisés ont une petite idée de mon expérience à moi de cette vie.

... Depuis tant d'années que j'ai désespérément cherché à m'enfuir, c'est banal pour moi que d'essayer. Mes yeux et mon cerveau recherchent partout où l'on m'envoie l'évasion, comme les yeux et le cerveau d'un autre détenu recherchent la camaraderie, le refuge, un endroit chaud et tranquille où se reposer en sécurité. Mais trop souvent à mon gré ces yeux et ce cerveau ne trouvent que moi.

Je me suis enfui une fois. En 1971, j'ai été dans le monde libre pendant six semaines. Je me trouvais dans une chambre d'hôtel à Montréal. Je dormais. J'étais alors en fuite depuis près de trois semaines. J'ai commencé à me réveiller en pleine nuit baignant dans la sueur des cauchemars. J'avais simplement rêvé de la prison. Quand j'étais en prison, j'avais dû repousser au fond de moi toute peur jusqu'à ce que l'absence de peur devienne habituelle. Mais cette partie de moi que j'appelle mon côté subjectif *sentait* cette peur chaque jour, minute après minute. Et alors la répulsion et la terreur que j'avais étouffées montaient à la surface au fil des rêves. Un matin, je m'éveillai dans un état de choc psychologique. J'avais *oublié* que j'étais libre, que je m'étais enfui. Je ne comprenais pas vraiment où j'étais. Je me trouvais dans une jolie chambre décorée avec élégance. Il y avait une fenêtre ouverte et le soleil entrait librement. La fenêtre n'avait pas de barreaux. Les murs étaient décorés de papier au riche dessin. Mon lit était large et confortable. C'était tellement plus que cela. Je crois que je suis resté assis sur ce lit, essayant de me remettre du choc et de l'engourdissement, pendant une heure, jusqu'à ce que petit à petit je me rende compte que je m'étais enfui.

Ainsi donc, nous pouvons tous nous comporter comme de bons petits soldats et nous endurcir en prison. Mais si cela dure trop longtemps, on se perd soi-même. Car il y a quelque chose d'innocent, de faible et de tendre — comme un jeune enfant — au fond de nous tous, qui souffre, qui souffre comme nous ne laisserions jamais un insecte souffrir.

C'est comme ça que la prison me déchire à l'intérieur. Chaque jour fait mal. Chaque jour me sépare un peu plus de ma vie. Et je ne suis même pas conscient du processus de dissolution qui m'affecte. Je ne peux donc l'arrêter.

Je ne parle jamais de ces émotions. Je n'y ai jamais pensé longtemps. En fait, ce n'est que maintenant, en écrivant ces lignes, que j'y pense. J'éprouve de la souffrance et de la rage à me regarder dans un miroir. Quand je passe le long d'un panneau vitré dans le couloir et que j'aperçois mon image, j'ai une montée de colère. Je ressens de la honte et de la haine alors. Quand les circonstances me forcent à être parmi une foule de prisonniers, c'est tout juste si j'arrive à refréner une envie d'agresser. Je ressens une telle hostilité, une telle haine, que je ne peux retenir cette rage. Toutes ces années je l'ai ressentie. Paranoïa. Je peux la maîtriser. Je ne recherche jamais l'affrontement. Il faut que je mesure intentionnellement ma voix dans la conversation pour masquer la rage que j'éprouve, le chaos et la souffrance qui affleurent à la surface de ce que nous appelons généralement la réalité. La paranoïa est une maladie que j'ai contractée dans les maisons de correction. Ce n'est pas pour cela que j'ai été envoyé en maison de redressement, puis en prison. C'est l'effet, pas la cause.

Cela vous dirait d'être chaque jour de votre vie obligé de vous asseoir à côté d'un poivrot bête et puant tous les matins au petit déjeuner ? Ou d'être à la merci de je ne sais quel crétin sans-gêne qui ne sait que grasseyer dans son ignorance crasse : « Eh, tu me files un clope ? » Je me borne à le regarder dans ses yeux écœurants, je veux lui casser le cul, à la face de Dieu et des autres.

... Imaginez des milliers d'intrusions quotidiennes de ce

genre, toutes les heures, toutes les minutes, et vous comprendrez la source de cette paranoïa, cette rage qui pourrait me consumer à tout moment si je perdais le contrôle de mes actes.

MENSONGES

Qu'importe les paroles et les actes,
Les yeux parlent,
La faculté législative de l'esprit
Ne se préoccupe pas d'apparence ni de mots.
Rien n'est fini et bien fini.
Rien
Même pas ta mauvaiseté
Surtout pas ta mauvaiseté.
Alors ne viens pas t'excuser.
Je suis passé en m'inclinant devant ton cœur,
Cette couronne de sang froid
Qui porte l'éclat métallique
De l'antagonisme dans tes yeux.

Je crois que je vais les arracher
De ton crâne
Et les écraser dans mon poing.

— Te donner un chien qui sera tes yeux
Te donner des yeux qui halètent et salivent
Des yeux qui rampent à quatre pattes
Des yeux qui s'aplatissent au seul son de ma voix;
Maintenant, dis-moi des mensonges,
Dis-moi que la vie est bonne pour toi
— Quand tous tes souvenirs se sont distillés
En l'image transformée, l'Idée,
D'une main artificielle qui avance

Pour t'extirper les yeux
Dis-moi des mensonges alors,
Dis-moi des mensonges, Yeux de chien,
Dis-moi des mensonges alors.

C'est un poème que j'ai écrit dans les bras de Paranoïa, la muse du mitard.

D'être capable d'écrire quelque chose d'aussi mentalement dérangé — de ne pouvoir écrire rien d'autre pour exprimer mes réactions d'être social devant la vie — j'en suis très perplexe.

Je l'ai écrit ce matin au milieu de l'effroyable vacarme d'une centaine de prisonniers encagés dans des cellules individuelles — vacarme de menaces, d'attaques raciales, comme s'il n'y avait pas de lendemain.

Je suis né le 21 janvier 1944 dans une base militaire à Oscoda, dans le Michigan. J'ai été ballotté d'un foyer d'accueil à un autre, presque depuis l'instant de ma naissance. Quant à mes études : je ne suis pas allé au-delà de l'école primaire. A neuf ans, j'ai commencé à purger de longues peines dans les établissements de détention pour mineurs. A douze ans, j'ai été envoyé à l'internat professionnel de garçons de l'Utah. J'ai été « libéré sur parole » une fois, pour deux mois environ, puis j'y suis retourné. A dix-huit ans, j'ai été relâché, car j'avais atteint l'âge adulte. Cinq ou six mois plus tard, j'étais envoyé au pénitencier d'État de l'Utah pour le délit grave de « chèque sans provision ». J'y suis entré avec une peine de durée indéterminée, mais ne pouvant dépasser cinq ans. Trois ans plus tard environ, je n'avais toujours pas été relâché. Au cours d'une bagarre dans le rond-point central, j'ai tué un détenu et j'en ai blessé un autre. J'ai été jugé pour crime capital en vertu d'une vieille loi qui requiert soit la mort s'il est établi qu'il y a eu préméditation, soit une condamnation pouvant aller de trois à vingt ans. C'est de cette peine que j'ai écopé. Une « peine indéterminer » est à la base du concept de « libération sur parole ». La durée du séjour en prison est fonction de votre bonne conduite. La loi se contente de fixer un minimum et un maximum — en partant de l'hypothèse que *personne* ne purge le maximum. Dans mon cas, l'hypothèse s'est révélée fausse. Aussi, à vingt-six ans, je m'échappai, pour six semaines environ.

J'ai trente-sept ans maintenant. Depuis l'âge de douze ans j'ai été libre en tout neuf mois et demi. En seulement trois condamnations, j'ai fait plus de dix ans. Je crois que j'ai dû passer au moins quatorze ou quinze ans en isolement cellulaire. Le seul délit vraiment sérieux que j'aie commis dans la société des hommes libres a été un cambriolage de banque, pendant une cavale.

... C'était un grand immeuble en brique rouge, flanqué de deux ailes. Il avait quatre étages. Il avait été construit par l'armée au temps où l'Utah était encore un territoire. C'était un des bâtiments qui avaient servi de locaux disciplinaires pour la caserne. Ils avaient été repris par l'État depuis longtemps et faisaient partie d'un établissement de redressement pour délinquants juvéniles.

Dans le sous-sol du grand bâtiment de brique rouge se trouvait une série de cellules d'isolement. On n'y accédait que par l'extérieur du bâtiment.

J'ai douze ou treize ans. C'est l'hiver. Je suis avec d'autres garçons. Nous marchons en double file vers la cantine. Il y a un gardien qui nous regarde marcher vers lui. Il y a un gardien qui marche derrière nous. Mes testicules se rétractent, le sang afflue et mes yeux me brûlent douloureusement. Mon cœur bat à grands coups et j'essaie de toutes mes forces de respirer lentement, de me maîtriser.

Mes yeux vont d'un gardien à l'autre, en avant et en arrière de la file. Les champs alentour ont été labourés et sont couverts de neige glacée. Je ne sais pas à quelle distance au-delà s'étend ma liberté.

Soudain mon compagnon au début de la file tournoie et frappe le garçon derrière lui. Le gardien qui nous précède, comme un chien féroce, s'abat sur eux pour les mater. Et aussitôt, le gardien qui fermait la marche se précipite, me frôlant au passage.

Je sors du rang et cours comme si ma vie en dépendait. Je lance mes jambes aussi loin que je peux, aussi vite que je peux, mais les jambes d'un garçon d'un mètre cinquante-cinq ne peuvent s'élancer bien loin.

Les champs s'étalent devant moi, étendue plate et tranquille couverte de neige et de glace, et les grosses mottes de terre labourée et gelée sont pour moi de terribles obstacles. Le ciel est bleu clair, presque blanc. L'air est limpide.

Je n'ai pas fait cinquante mètres que j'entends la poursuite commencer. « Eh toi, arrête ! » Je sais tout de suite qu'ils vont me rattraper, mais je continue à courir.

Je ne sens pas son poing. Je suis soulevé de terre et je retombe en roulant sur les mottes gelées. On me remet sur pieds ; on me tord un bras derrière le dos ; l'air glacé brûle mes poumons, mes narines sont dilatées. J'essaie déjà de bander mes muscles contre le châtiment qui va s'abattre.

Les autres détenus se tiennent dans la longue file droite, flanqués des gardiens, et on me traîne devant eux. Je ne les respecte pas, parce qu'ils ne courent pas — n'essaient pas de s'enfuir. Mes courtes jambes m'empêchent de suivre le gardien qui sans effort me tord un bras jusqu'à la clavicule. Je trébuche, humilié. J'essaie de toutes mes forces de rester digne.

Je vois la porte qui conduit au sous-sol du bâtiment de brique rouge et nous l'atteignons bientôt. Un flocon de neige tombe sur ma paupière et fond. Il commence à neiger, doucement.

Au sommet des marches qui mènent au sous-sol, on me projette contre une haute porte en acier noir. Je me tiens raide contre la porte pendant que le gardien sort un énorme trousseau de clefs et cogne sur la porte. On nous aperçoit par une fenêtre. La porte s'entrebâille et un vieux gardien apparaît qui me regarde méchamment.

Nous entrons. Nous sommes debout au sommet de marches en ciment qui mènent au sous-sol. On me précipite du haut des marches et je m'étale sur le sol. J'attends. Mon nez saigne et mes oreilles résonnent des coups sur mon crâne.

— Debout !

Immédiatement, je suis envoyé à nouveau à terre.

— Déshabille-toi !

Je me tiens debout, titubant et jette mes vêtements. Ses mains arrachent mes cheveux, mais je n'ose pas bouger.

— Tourne-toi !

Je me tourne.

— Baisse-toi !

Je me baisse. Il m'inspecte l'anus et les parties tandis que je regarde avec anxiété en espérant de toute ma force qu'il ne me fasse pas mal là. Il m'ordonne de le suivre.

Nous pénétrons dans un corridor bordé de rangées de lourdes portes en acier. Le corridor est étroit, un mètre cinquante environ. Et il est faiblement éclairé. Aussitôt, en entrant, je respire la sueur, je ressens la chaleur des corps. Nous nous arrêtons devant une porte. Je l'ouvre. J'entre. Aucune parole. Il ferme la porte, la verrouille et j'entends ses pas décroître dans le corridor sombre.

Dans la cellule, il y a une fenêtre munie de barreaux et d'un vieux treillis de maille en acier. Il est au niveau du sol. Les vitres sont maculées de vieille terre et le treillis ne permet pas qu'on les nettoie. A travers celles qui sont brisées, je regarde. Je cours en esprit à nouveau libre à travers les champs.

Mon lit est une feuille de contreplaqué épais, fixée sur des pieds métalliques rivés au sol. Dans un coin, un lavabo ancien, à côté d'un évier alimenté d'eau froide. Dans un halo jaunâtre, une faible lumière brûle derrière un écran fixé sur le mur. Les murs sont couverts de noms et de dates. Certains remontent à plus de vingt ans. Ils ont été creusés dans le mur. Il y a des cœurs gravés d'un trait hésitant percés de flèches et des croix de *pachucos* (1) partout. Les mots reviennent : « Maman », « Amour », « Dieu » — les murs suent. Ils sont collants et froids.

Comme on ne m'a laissé que mon slip, je me remue pour essayer de me réchauffer. Quand on m'éteint la lumière, la nuit, je pleure sans pouvoir m'arrêter. Soixante jours en solitaire, c'était long, si long pour moi en ces jours-là.

Quand la clef du gardien tourne dans la serrure, signalant l'arrivée d'un « repas », si je ne suis pas debout au coin le plus reculé de la cellule, face à lui, le gardien m'attaque à l'aide d'un trousseau de clefs suspendu à une lourde chaîne.

On me donne un tiers de repas trois fois par jour. Une fois par semaine seulement on me sort de ma cellule et on m'ordonne de me doucher tandis que le gardien se tient dans l'embrasure de la douche et surveille que je ne dépasse pas trois minutes.

Enfermés chacun dans notre cellule, nous ne pouvions voir les autres, et si l'on nous prenait à nous appeler d'une cellule à l'autre, nous étions frappés. Nous passions des messages en cognant le mur, mais s'ils entendaient les coups, nous étions frappés — toute la rangée de cellules, un enfant à la fois.

J'ai fait cinq ans dans le grand bâtiment de brique rouge et en tout deux ans ou trois en isolement. Quand je suis sorti,

(1) Voyous d'origine mexicaine, souvent tatoués (N.d.T.).

j'étais considéré comme un adulte, soumis aux lois des adultes.

J'ai fait aussi longtemps parce que je ne pouvais m'adapter à l'établissement et que j'ai tenté de m'enfuir plus de vingt fois. J'avais été mis là pour le délit d' « incapacité à m'adapter aux foyers d'accueil ».

Celui qui est produit par l'État — élevé par l'État depuis un très jeune âge après avoir été retiré d'un « foyer désuni », selon l'expression consacrée — apprend tant et plus, tous les jours de sa vie, que les gens qui composent la société peuvent lui faire ce qu'ils veulent sans être punis par la loi, lui faire n'importe quoi, forts de toute la puissance de l'État.

Étant un enfant, il doit aller, d'un pas raidi, prendre ses repas dans un immense réfectoire. Il ne peut avoir plus de trois chemises, deux paires de pantalons et une paire de chaussures. Les gens qui forment la société entrent en contact avec lui à travers l'État et lui font mal. Tous les êtres sociaux avec qui il entre en contact sont, à un titre ou un autre, employés de l'État. Il apprend à éviter les gens qui forment la société. Il les évite à chaque pas.

Dans n'importe quel État d'Amérique, celui qui est produit par l'État peut être abattu comme un chien par n'importe qui, sans casier judiciaire, en toute impunité. Je n'exagère nullement. Pour un détenu c'est si banal que c'est une question de sens commun. Si un détenu montrait une attitude sceptique vis-à-vis de choses de cette nature, les autres penseraient qu'il perd la raison. Il mettrait en question ce qui est une évidence pour nous, une réalité de la vie.

... Mes pensées reviennent sans cesse à un des principaux aspects de la prison qui séparent les prisonniers ordinaires — ceux qui, à un moment de leur vie, font quelques années, puis sortent pour ne jamais retourner, ou si ça leur arrive, c'est à nouveau pour une brève période, qui ne se renouvelle pas — et le détenu « produit par l'État », c'est-à-dire le prisonnier qui passe de l'enfance à l'âge adulte dans les établissements pénitentiaires.

J'en ai parlé comme d'une forme d'instabilité (mentale, émotionnelle, etc.). Il n'y a pas de doute (disons qu'il y a *peu* de doute) que cette instabilité soit provoquée par toute une vie d'incarcération. De longues années de taule, de l'âge de dix ans à dix-sept ou dix-huit ans, puis de dix-sept ou dix-huit à trente ou quarante ans. On parle beaucoup d' « adolescents attardés » aujourd'hui. Je crois que ce concept touche le noyau de l'instabilité chez des prisonniers tels que moi.

Toute société donne à ses hommes et à ses femmes des prérogatives d'hommes et de femmes, d'*adultes*. Les hommes reçoivent ce qui leur est dû. Après un certain âge, la société vous regarde comme un homme. On vous appelle « Monsieur » ; personne n'intervient dans vos affaires, ne vous rappelle à l'ordre d'une tape sur les doigts, ni ne vous ignore. En général, la société vous montre de la sollicitude et vous sert. On vous montre du respect. Votre jugement se tempère graduellement parce que graduellement vous voyez qu'il a des effets réels, sur la société, sur le monde. Votre expérience atténue vos émotions, parce que vous êtes libre de vos mouvements, de votre travail et de vos loisirs. Vous pouvez vous lancer à la poursuite de l'amour, du plaisir, du danger, du profit, etc. Les conditions de votre existence sociale, les objectifs divers que vous poursuivez, vous apprennent la nature de vos propres émotions — et vous apprenez des choses sur vous-même, sur vos goûts, vos forces et vos faiblesses. En d'autres termes, vous mûrissez émotionnellement.

Ce n'est pas ainsi pour le détenu produit par l'État. Enfant en maison de redressement, on le punit en tant qu'enfant. En prison, on le punit parce qu'il essaie d'être homme, dans le sens que j'ai dit. Il est traité comme un adolescent, en prison. Tout comme on refuse à un adolescent les clés de la voiture de la famille pour une désobéissance ou bêtise quelle qu'elle soit. J'irai au mitard pour avoir tué, ou pour avoir volé un paquet de sucre. Je sortirai du trou dans les deux cas, et je purgerai la même peine pour l'un ou l'autre délit. Mon objectif est *uniquement* d'éviter de laisser derrière moi des preuves qui pourraient me valoir des poursuites là-bas dans le monde, au-delà de ces murs où l'on pratique un semblant de démocratie.

En régime carcéral, les détenus prennent des décisions extrêmes sur des questions simples qui n'appellent qu'un oui ou un non. Aucune contradiction n'est admise ouvertement. Vous n'avez pas le droit de changer. Vous n'avez que le droit de vous soumettre ; l'« accord » n'existe pas (il implique l'égalité). Vous êtes l'adolescent rebelle qui doit obéir et se soumettre au jugement des « grands » — « les tyrans », comme nous les appelons en parlant des hommes.

Le détenu qui n'a pas été produit par l'État tolère la situation à cause de la maturité sociale qu'il avait acquise avant son incarcération. Il *sait* que les choses sont différentes hors de la prison. Mais le détenu produit par l'État ne conçoit aucune différence. Il manque d'expérience et donc de maturité. Son jugement est grossier, irréfléchi ; ses émotions sont impulsives, crues, sans nuance.

Il y a des émotions — toute une gamme d'émotions — que je ne connais que par les mots, par la lecture et mon imagination immature. Je peux *imaginer* que je ressens ces émotions (et donc je sais ce qu'elles sont) mais je ne les ressens pas. A l'âge de trente-sept ans, je suis à peine un enfant précoce. Mes passions sont celles d'un jeune garçon.

Ce que j'ai dit plus haut sur mes émotions est le côté caché, sombre, des détenus produits par l'État. Les tripes puantes que chacun cache à l'autre. Il y a autre chose. C'est l'autre moitié — celle qui concerne le *jugement,* la *raison* (éthique, culturelle) —, c'est le manteau de fierté, d'intégrité, d'honneur. C'est la haute estime que nous avons naturellement pour la violence et la force. C'est ce qui nous rend *efficaces,* ce qui fait de nous des hommes dont le jugement heurte les autres et le monde : des tueurs dangereux qui agissent seuls et *sans* émotion, qui agissent par calcul et par principe, pour se venger, poser et défendre leurs principes avec des actes criminels qui échappent généralement aux poursuites de la loi ; c'est la conception qu'a le détenu produit par l'État de l'homme, au sens le plus noble.

Le modèle que nous imitons est l'individu fanatiquement méfiant et aliéné qui ne peut s'imaginer ce qu'est le pardon, la pitié ou la tolérance, parce qu'il n'a aucune *expérience* de telles valeurs. Ses émotions ne savent pas ce que sont de telles valeurs, mais il les *imagine* comme autant de « faiblesses », précisément parce que le criminel dépourvu de principes paraît échapper au châtiment grâce aux mêmes « faiblesses » de la part de notre société.

Mais si vous vous comportez comme un homme (un homme tel que vous), vous êtes condamné, on vous craint et on vous hait. Vous êtes « fou » selon les normes des autorités, au regard de leurs préjugés vis-à-vis des comportements carcéraux.

Pouvez-vous imaginer ce que j'ai ressenti à être traité comme un petit garçon et non comme un homme ? Et quand j'étais un petit garçon, j'étais traité comme un homme — et pouvez-vous imaginer ce que cela fait à un garçon ? (J'attends qu'avec les années me vienne le sens de l'humour, mais jusqu'ici, en vain.)

Bon. Un surveillant me dit en fronçant le sourcil : « Pourquoi n'es-tu pas au travail ? » ou « Rentre ta chemise ! Fais ci, fais ça. » Comme on parle à un jeune garçon. C'est ce que j'ai dû endurer non pas un an ou deux — ni même dix — mais, jusqu'ici, dix-huit années. Et quand j'explose, je me brûle moi-même en me comportant comme un petit garçon contrit et indiscipliné. Si bien qu'afin d'éviter une humiliation plus profonde, j'ai mis au point une méthode : je renverse la situation, et je deviens l'homme qui châtie le petit garçon (pauvre gosse). Cela m'a coûté cher, et pas seulement en termes d'années de prison ou de mitard.

Je ne peux m'adapter à la vie quotidienne en prison. C'est vrai depuis presque vingt ans, je ne peux pas. Je n'ai jamais passé un mois en prison sans être puni pour avoir violé des « règlements ». Pas une seule fois en toutes ces années...

Cela veut-il dire que je doive mourir en prison ? Cela veut-il dire que je ne peux « m'adapter » à la société, hors de la prison ? L'État dit « oui » — mais je me souviens de la société et ce n'est pas comme la prison. Je me dis que *si jamais* j'arrivais à *m'adapter* à la prison, rien que cela m'empêcherait de m'adapter à la société. Je serais de retour en prison en quelques mois. Mais attention ! j'ai consience de ce que je suis, et je ne veux pas qu'il soit dit que je ne puisse m'adapter à la liberté. Même si cela veut dire passer ma vie en prison — parce que pour moi la prison n'est rien d'autre que mutinerie et révolte.

Une fiche ronde n'entrera jamais dans un trou carré. Je pense qu'ils ne me laisseront jamais sortir de prison aussi longtemps que ma remise en liberté dépendra de mon « adaptation à la prison ».

Au début, les murs de ma cellule étaient faits de tôle d'acier à chaudière et j'avais envie de cogner toute la journée en hurlant et criant sans raison apparente. J'étais tellement suffoqué de rage alors (il y a seize ou dix-sept ans) que je pouvais difficilement parler, même lorsque j'étais calme : je bégayais horriblement. J'avais pris l'habitude de jeter en l'air mon plateau comme on jette une boulette de papier dans une corbeille — mais c'était un plateau chargé de nourriture — à la tête d'un surveillant.

Voilà la réponse à l'expérience de la prison d'un homme qui n'y avait que faire. Merde, si je n'étais jamais allé en prison qui sait quel « mal » j'aurais commis. Je ne dis pas que parce que ma place *n'était pas* en prison on n'aurait pas dû m'y *envoyer.* Théoriquement personne n'a sa place en prison ! On m'y a envoyé pour me punir — et il se trouve que je l'ai été. Je ne pense pas qu'il en soit ainsi pour tous ceux qui sont en prison — tout le monde a mal en prison, mais pas comme cela. *Encore aujourd'hui* je ne peux parler à un surveillant à moins de l'avoir coincé dans un coin et que ce soit *moi* qui donne les ordres. Il m'arrive encore de bégayer quand je m'adresse à un surveillant, que je m'adresse à lui sans enfreindre aucun règlement. Je peux insulter ou injurier, mais c'est seulement quand j'ai enfreint un règlement ou que je m'en fous d'en transgresser un. C'est étrange à observer : les gens qui ont un défaut de prononciation peuvent généralement *chanter* sans bégayer — eh bien, moi, je peux *insulter* sans bégayer...

C'est impossible. Je suis le genre d'imbécile qui, face à César et ses lions affamés, n'a qu'à revenir sur sa parole pour s'en tirer indemne, mais qui ne peut s'empêcher de dire à César : « Va te faire enculer » — en sachant très bien les conséquences. Qui plus est, *je refuse que l'on fasse de moi un martyr :* je n'accepte pas les conséquences et c'est en gémissant que je vais à la mort. Une mort que, semble-t-il, j'ai choisie. Si je *pouvais* plaire à César, je le ferais, je le ferais de gaieté de cœur. C'est un monde d'enculés, mais c'est tout ce que j'ai.

Je n'ai jamais accepté l'idée que je me sois fait cela. On n'a jamais réussi à m'inculquer cette croyance. C'est la seule raison pour laquelle je suis en prison depuis si longtemps. L'endoctrinement commence au moment où l'on arrête quelqu'un. Il se renforce à chaque étape, depuis le moment de l'arrestation jusqu'à l'emprisonnement. C'est en prison qu'il trouve sa plus profonde expression. A chaque minute, pendant des années, vous êtes forcé de croire que votre souffrance est le résultat de votre « mauvaise conduite », qu'elle est un châtiment que vous vous êtes infligé vous-même. On vous endoctrine pour accepter aveuglément tout ce que l'on vous fait. Mais si un surveillant me frappe à terre, ce n'est que par endoctrinement que l'on peut me faire croire que je me suis frappé moi-même. Si l'on me jette au mitard pour avoir enfreint un règlement de la prison — par exemple, pour avoir été insolent envers un maton — ce n'est que par *endoctrinement* que je peux croire que j'ai provoqué cela moi-même.

... J'aurais pu me laisser endoctriner, n'était le profil mauvais et ignare des hommes employés dans les prisons. On inculque au détenu que ce qu'on lui demande c'est de ne *jamais* résister, *jamais* contredire. On lui inculque de *supplier* les cognes et d'accepter la culpabilité de choses qu'il n'a jamais faites.

Des surveillants que je n'ai jamais vus m'ont mis des avertissements pour avoir proféré des menaces et avoir chercher à discuter avec eux. On m'a fait passer devant des commissions disciplinaires pour des choses que je n'ai jamais faites, qu'ils savaient que je n'avais pas faites. Mon dossier de détenu contient plus d'actes violents rapportés par les surveillants que celui de n'importe lequel des 25 000 détenus qui se trouvent aujourd'hui derrière les barreaux des prisons fédérales, et je ne suis pas coupable des neuf dixièmes des accusations portées contre moi. Mais je ne peux rien y faire. Si demain j'étais battu à mort, mon dossier irait devant le jury du *coroner* avant que personne n'ait pu faire une enquête, et mon « lourd passé de violence » justifierait mes assassins. En fait, les autorités carcérales peuvent commettre n'importe quelle atrocité contre moi ; mon « dossier » les acquittera. Si je porte plainte contre la prison devant un tribunal civil ou si je demande une ordonnance d'*habeas corpus* (1), l'État montre ce dossier aux juges. Le dossier est fait pour influencer le juge — qui saute sur toute occasion de renforcer ses préjugés contre les détenus.

... Responsabilité ? Je ne suis pas responsable de ce que l'Etat — son système judiciaire, ses prisons — m'a fait. Je ne me suis pas fait cela à moi-même. Ce n'est pas facile à exprimer. Ce n'est pas un point de vue facile à soutenir. Pourquoi ? Parce qu'il m'a coûté jusqu'ici près de vingt ans d'emprisonnement. Voilà, je le maintiens, la plus *grave* responsabilité : je ne me suis pas infligé cela à moi-même. Je ne partage pas les péchés de ce pays coupable ; nous ne sommes pas « tous dans le même bateau » : qui, aujourd'hui aux États-Unis, *oserait* assumer cette responsabilité pour lui-même et les autres, que moi-même et d'autres innombrables détenus comme moi avons prise ?

Je sais que vous n'êtes pas assez mesquins pour penser que j'essaie de déplacer la responsabilité pour mon propre « moi corrompu ». Bien sûr, ce n'est pas le cas. J'ai seulement essayé de prouver le contraire : que j'exige la responsabilité pour moi-même. Et ce faisant, j'en suis venu à comprendre les raisons de tout cela. Quant à moi, je peux très bien faire avec. Je n'ai pas la confiance du somnambule, aussi mon désir de m'améliorer est au sens spirituel un désir très conscient.

Les existentialistes disent qu'ils prennent sur leurs épaules toute la responsabilité pour leur vie et pour le monde entier. Qui peut trouver à y redire ? Le monde est sidéré de sa propre « cruauté » (très drôle en vérité). Et quand « les jeux sont faits » (l'expression favorite de Sartre), Sartre, qui n'a

(1) Garant de certaines libertés civiques. Ici, de faire vérifier la légalité d'un emprisonnement (N.d.T.).

jamais joué mais adore la terminologie liée à une forme d'audace qui n'implique pas de se faire tanner la peau, se pose en « martyr ». C'est le même type de responsabilité que tout être prend sur lui en se soumettant à la mauvaise opinion que vous avez de lui, en hochant la tête et en opinant à toutes les accusations portées contre lui — puis, quand il a fait cela, l'oreille basse, il vous dit combien il est désolé qu'il ait plu la nuit dernière, désolé que le café ait augmenté, etc., etc. Il ne va pas se défendre, parce qu'il est *vraiment* en défaut, et il est trop pitoyable pour être puni. Dire que vous n'êtes pas responsable de la vie de quelqu'un que vous avez tué en état de légitime défense, pas responsable des circonstances qui vous ont conduit en prison (et vous y ont gardé pendant vingt ans) — jeter tout cela à la figure de vos accusateurs (accusateurs qui justifient également les mauvais traitements qu'ils vous ont infligés par ces mêmes accusations), c'est être réellement responsable de ses paroles et de ses actes. Parce que chaque fois que vous rejetez les accusations, vous êtes tenu pour encore plus responsable d'actes dont vous n'êtes pas responsable.

... Ce n'est que très tard, à l'âge de trente ans, que j'ai commencé à mettre en pratique ma faculté de penser. Je tourne et retourne sans cesse mes pensées dans ma tête, bien plus que lorsque j'avais dix ans — et pourtant, rien, alors ne pouvait m'arrêter. C'est drôle que certains d'entre nous doivent non seulement poser leurs repères, mais connaître tous les détails du monde avant de s'y aventurer. Maintenant seulement, je me dis que j'en sais assez pour vivre, mais ce n'est pas drôle que ce que j'ai appris puisse exiger que je sacrifie cette vie.

Une fois, j'ai passé cinq ans et demi dans un quartier de haute sécurité, et pendant plus de deux ans je n'ai parlé à personne d'autre qu'à ma sœur, quand elle venait me voir, deux fois par mois. Quand je suis entré au quartier de sécurité, je faisais un mètre soixante-dix-neuf, je n'avais pas de barbe et je ne connaissais pas l'arithmétique. Quand j'en suis sorti, je ne pouvais pas marcher sans m'écrouler, j'avais une grosse barbe et je mesurais un mètre quatre-vingt-deux. J'avais une connaissance rudimentaire de la théorie mathématique et de la logique symbolique, j'avais étudié toutes les sciences théoriques. J'avais lu pratiquement tous les classiques de la littérature mondiale, des temps préhistoriques à nos jours. Quand j'ai été enfermé, ma vue était parfaite ; quand je suis sorti, j'avais besoin de lunettes. Ma chance, ce fut que dans cette prison, les prisonniers étaient autorisés à recevoir des livres directement d'une librairie — du moment que ce n'étaient pas des ouvrages pornographiques (le magazine *Playboy* nous parvenait alors en fraude, et c'était passible de punition).

Pendant ces années, ma sœur me fit envoyer des livres d'une librairie dont les propriétaires recherchaient pour moi les titres qu'ils n'avaient pas en stock, gratuitement, pour me les envoyer. C'est là que mon éducation a commencé. A ce jour, elle n'est pas terminée.

Il n'y a pas beaucoup de livres philosophiques d'importance que je n'aie lus. Mais la connaissance vient de l'expérience, et les livres aident seulement à comprendre l'expérience. Ce n'est pas qu'une observation personnelle, c'est aussi l'opinion de toutes les autorités pénitentiaires : les prisonniers les plus dangereux — et je veux dire dangereux aussi au sens physique — sont ceux qui « lisent et écrivent ».

Au quartier de haute sécurité, j'ai fait des *années* pieds nus, avec seulement mes bouquins et mes couilles et une tenue réglementaire blanche (dix fois trop grande pour moi). Romans et dictionnaires. Puis la philosophie, jusqu'à ce qu'elle me sorte par les yeux et les oreilles — et finalement, à l'occasion, la bouche. Les neuf dixièmes des mots de mon vocabulaire je ne les ai jamais *entendu* prononcer. Je me souviens des mots « rhétorique » et « charisme ». De petites scènes gênantes quand je m'aperçus que toute ma vie je les avais mal prononcés. Je me suis jeté sur toutes les sciences, l'une après l'autre, sans idée préconçue, si naïf dans mon approche que j'appréhendais des choses que seuls des gens comme Bohr avaient comprises. Moi, je ne peux pas apprendre des choses pratiques avant d'avoir étudié le sujet sous la forme théorique la plus pure. Je n'ai pas vraiment compris les premiers rudiments du calcul avant d'avoir étudié les écrits de Hertz et — un comble ! — de Hegel sur la question.

Je pouvais être *mystifié* par un livre d'école pour enfant de cinq ans. La physique théorique me paraît simple, mais la physique appliquée me laisse pantois et abasourdi. Je comprends la logique symbolique — Frege, Russell, Whitehead, Carnap, Quine, etc. — mieux que l'arithmétique primaire. Elle a trouvé son expression et sa forme la plus élégante dans les découvertes de Marx. Et c'est là un *monde* de science et de littérature, que le monde dans lequel nous vivons vous et moi nous dissimule. Il m'a fallu de grands efforts et beaucoup d'imagination pour chercher à obtenir et réaliser des progrès vraiment importants dans notre culture, progrès que le monde dans lequel nous vivons à l'Occident tente si fort d'étouffer. Ayant contacté ce monde, et ayant communiqué à l'intérieur de certaines limites, je suis devenu libre, à l'intérieur de ces limites.

Les livres sont dangereux là où règne l'injustice. J'ai purgé des peines seulement pour avoir *demandé* des livres. J'ai été victime de coups montés et de préjugés, et de la pire forme de discrimination à cause des titres des livres que je lisais (même un livre ayant le nom de « Platon » sur la couverture peut vous attirer des ennuis).

Aucun pénitencier fédéral (et il n'y en a que six à proprement parler, les autres sont des prisons ordinaires) ne possède une bibliothèque. Les autorités disent que nous faisons « mauvais usage » de nos connaissances si l'on nous permet de nous instruire en suivant nos impulsions naturelles. Ils disent que nous utilisons l'*Encyclopædia Britannica* pour faire des bombes, des fusils, des acides, etc., à partir des informations qu'elle contient. Ils disent que Marx nous ment sur notre condition et nous rend immoraux, avides et capables de tout.

C'est pourquoi ils ont maintenant des « programmes éducatifs » en prison, c'est-à-dire que nous n'apprenons que ce qu'ils veulent que nous apprenions. *Je me glorifie du fait que je n'ai jamais été dans une école pénitentiaire.*

Vous avez mis le doigt sur le plus gros abcès du système pénitentiaire lorsque vous avez demandé pourquoi les livres sont un sujet aussi délicat pour les autorités. C'est quelque chose qu'il vous est difficile de comprendre parce que vous êtes libre et vivez à New York. Mais les opprimés connaissent la valeur des livres, parce que s'ils deviennent amoureux, ou simplement *curieux*, d'une seule idée — et tentent de la mettre en action — ils sont sur la voie de la rébellion. Je veux dire par « rébellion » la violence la plus sanglante, les assassinats et saccages les plus meurtriers que vous puissiez imaginer. Un goût de liberté en prison est un peu comme un goût d'héroïne — un goût qui vous obsède, qui fait de vous un « drogué » — vous tueriez pour, au sens propre du mot. Aujourd'hui, en prison, ils s'en prennent à votre esprit — là où avant ils imposaient la souffrance physique. Aujourd'hui, les enjeux sont plus élevés, beaucoup plus élevés. Les condamnés les plus dangereux de l'histoire des prisons américaines sont aujourd'hui derrière les barreaux. Ils tuent plus vite, plus efficacement, sont davantage susceptibles de mourir pour des convictions. Ils sont plus raffinés à tous égards. Je crois que vous continuez à voir la prison comme une sorte de caserne. Il n'y a pas de comparaison possible. Elle ressemble beaucoup plus à une prison de gladiateurs (une « école ») de la Rome ancienne au temps de la répression des esclaves et des chrétiens.

Nous sommes naturellement montés l'un contre l'autre par des degrés de stoïcisme (une sorte de système de « classes ») à travers les manipulations de l'appareil pénitentiaire. Les livres que nous avons nous les avons obtenus presque à la pointe de la baïonnette (littéralement). Nous n'avons pas de droits légaux en tant que *prisonniers,* seulement en tant que citoyens. Les seuls droits que nous ayons sont ceux qui sont laissés à leur « discrétion ». Alors nous affirmons nos droits par les seuls moyens dont nous disposons. C'est un compromis, et au bout du compte je crains fort que nous, prisonniers, perdions — mais notre perte sera aussi la perte de la société. Après nous, à vous.

Oui, c'est effrayant. Mais ce qui est plus effrayant pour moi, c'est le simple fait que la société ait manqué de vigilance et placé trop de confiance dans le gouvernement. C'est pourquoi je vous écris. Parce que je suis très préoccupé.

... Je continuerai à me battre pour apprendre à écrire. Mais c'est comme essayer d'apprendre à nager sur la terre ferme. J'apprendrai autant que je pourrai. C'est difficile pour moi de prendre la chose sérieusement ou de me sentir à l'aise en l'évoquant. C'est comme si j'étais assis au milieu d'un public écoutant de beaux messieurs et des universitaires distingués prononcer des discours ou des conférences sur des sujets qui m'intimident et que l'un d'eux, survolant du regard la nombreuse assistance, me regarde soudain en face et me dise : « C'est à vous, Jack ! Montez nous dire quelque chose. »

Il n'est pas difficile d'imaginer mon embarras — et ma satisfaction ; deux émotions qui créent une sorte de confusion que je ne peux définir par aucun mot mais qui sont proches de la gratitude.

Je l'ai dit. Je vais essayer.

Je ne suis pas un intellectuel, parce que mes pensées sont avant tout pour moi un prédicat de l'action. Je vous ai dit, il y a longtemps, que je ne connaissais pas autre chose. Personne, même pas vous, ne m'a jamais tendu la main pour m'aider à être un homme meilleur (mais vous êtes celui qui s'en est le plus approché, ce qui en soi est déjà pathétique). Personne. Je fais de mon mieux tout seul de mon côté et avec ce dont je dispose, ce qui est peu.

Je vous ai dit au début que j'étais, comme vous diriez, pas sympathique du tout. Je n'ai jamais essayé d'enjoliver quoi que ce soit. Je n'ai jamais essayé d'en appeler à vous.

Je n'ai jamais tenu de journal, mais le plus que je m'en sois approché ce sont les lettres que je vous ai écrites. Ma vie n'est pas une « saga », et je vous en veux d'utiliser un tel mot. Je ne me sens pas « héroïque », mais je suis pris dans une expérience de vie qui est hors du commun. Vous avez dit votre intérêt. J'ai voulu soutenir cet intérêt au mieux de mes possibilités.

Je ne vous ai jamais rien prêché et n'ai pas cherché à vous convertir. Le respect que j'ai pour vous ne me le permettait pas. D'ailleurs, je sais mieux que personne la futilité de discuter de tels sujets.

Les punitions

Toute torture vise à vous arracher quelque chose par la force. Personne n'a le droit d'arracher Jack Abbott à Jack Abbott. Pas mon âme. Pourtant c'est ce que l'on me fait. Je suis devenu étranger à mes propres besoins et désirs. Or sans vouloir paraître prétentieux ou cabochard, je peux affirmer honnêtement que je ne peux imaginer personne qui ait plus de ressort moral, plus d'endurance psychologique et plus de volonté que moi. J'ai mesuré ces choses et je sais. Année après année, j'ai vu les hommes qui m'entourent se désagréger moralement, je les ai vus devenir fous, subtilement, et je les ai vus abandonner leur volonté à la routine de la prison, et j'ai résisté à tout cela beaucoup plus longtemps que d'autres. Ce n'est donc pas que je suis « faible » dans ces domaines, mais plutôt cela démontre l'immensité du pouvoir, l'envergure des forces que l'on met en œuvre pour changer les hommes, même si *personne* (ni les matons, ni les directeurs de prison, ni le gouvernement) ne peut contrôler ce pouvoir, cette force, de manière à changer un homme en ce que nous considérons comme une version acceptable de l' « homme rééduqué », c'est-à-dire le bon citoyen.

... Bon nombre de méthodes appliquées en prison ces quinze ou vingt dernières années ont été *légalement* abolies car trop cruelles ou inadaptées à cette « époque civilisée » que nous sommes censés vivre. Certains détenus — pas beaucoup, il n'en reste guère parmi nous qui n'ont *jamais* été libres — sont un *produit* des conditions de détention que l'on condamne aujourd'hui comme « inconstitutionnelles » et même *criminelles.*

Que sommes-nous supposés faire ? Personne ne *nous* a encore présenté des excuses. Les mêmes matons — ou leurs pareils — continuent de régner sur ces prisons. Est-ce qu'ils m' « estiment » ? On pourrait le penser ; aucun d'eux ne veut me voir devenir libre. Jamais.

C'est une partie de l'endoctrinement. Je suis censé être *content* qu'ils aient supprimé les instruments de torture systématique en prison ! Content qu'ils aient supprimé la cravache, les punitions corporelles, la privation totale de nourriture.

Mais si j'éprouvais vraiment de la « reconnaissance », quel bien cela me ferait-il ? Cela fait longtemps que l'on m'a amené à des années-lumière de toute amélioration que la punition visant à la réhabilitation pourrait être susceptible d'apporter.

C'est ce qu'on nomme *action positive.* Celle que développe l'État pour appliquer les programmes et les politiques visant à redresser les injustices passées, subies par les minorités de notre société.

Je comprends aisément la justice qui sous-tend cette doctrine — mais l'État ne l'applique pas à des hommes comme moi, bien qu'il soit pleinement admis que j'ai survécu à des conditions d'incarcération qui sont illégales et que je n'ai jamais depuis lors reçu la moindre chance de sortir libre de prison.

J'ai acquis une *réputation* auprès des autorités pénitentiaires qui remonte au temps où ces conditions illégales étaient appliquées, une période ininterrompue à ce jour. J'ai simplement résisté à ces conditions que l'on dit aujourd'hui *officiellement* abolies — mais alors, la loi n'était pas de mon côté. Pas plus qu'elle ne l'est aujourd'hui.

... Ma première expérience d'isolement cellulaire répressif de longue durée a eu sur moi un effet spirituel plus négatif et plus profond que n'importe quel autre événement de mon enfance. Je souffrais de claustrophobie depuis des années, quand on me mit pour la première fois en prison. Je n'ai jamais connu de souffrance plus terrible.

Dans votre cellule, l'air disparaît. Vous étouffez. Vos yeux sortent de leurs orbites ; vous étreignez votre gorge ; vous hurlez comme la fée irlandaise annonciatrice de mort. Vos bras battent le vide. Vous titubez dans votre cellule et vous vous affaissez.

Puis vous avez des crampes. Les murs s'avancent vers vous de tous côtés avec une force invisible. Vous luttez pour les repousser. L'oxygène vous rend soûl d'angoisse. Vous devenez creux et vide. Il y a un gouffre dans votre estomac. Vous vomissez. Vous êtes en train de mourir. De mourir horriblement, d'une mort qui traîne et se joue de vous.

Les visages des surveillants, en colère, sont à la porte de votre cellule. Les portes s'ouvrent en glissant. Les surveillants vous attaquent. Pour couronner le tout, ils entrent dans votre cellule et vous battent jusqu'à ce que vous vous affaissiez.

On jette votre paillasse dehors. On double vos draps ; on passe une extrémité du drap par un trou, sous le lit d'acier accroché au mur de votre cellule. On passe l'autre extrémité dans un trou situé sous l'autre bout de votre lit. On vous met les menottes aux mains et aux chevilles. Le drap est passé à travers les menottes et on vous laisse suspendu par les pieds et les mains à un piton. Votre dos est suspendu à plusieurs centimètres du sol. Vous étouffez. Vos poumons vont éclater sous la pression. Ils vous laissent ainsi toute la nuit.

C'est comme cela, encore et encore, que j'ai été « guéri » de la maladie appelée claustrophobie. Cela a pris au moins trois ou quatre ans.

J'avais vingt ou vingt et un ans quand on m'a transféré d'une prison centrale à une vieille prison de comté où l'on devait m'inculper et me juger pour avoir tué un autre détenu au cours d'une rixe.

J'ai essayé de m'enfuir de cette centrale. Les geôliers avaient rouvert une cellule qui n'avait pas été utilisée depuis vingt-cinq ans et m'avaient placé dans cette cellule sous un régime très dur — un régime de diète forcée consistant en un bol de brouet et un biscuit dur pour toute la journée. C'était une *cellule aveugle.* On m'a donné un mince matelas de toile et on a refermé la porte sur moi. Il y avait un lavabo-cuvette de W-C en fer dans un coin et rien d'autre, si ce n'est deux bons centimètres de poussière sur le sol.

C'était le noir *complet.* Pas un rayon de lumière ne pénétrait dans cette cellule, *pas un* — et je cherchai, tous les jours qui suivirent, ce rayon espéré, millimètre par millimètre, le long de la porte et des murs. L'obscurité était si absolue que j'avais l'impression d'être dans de l'encre.

Il y avait un dispositif ingénieux dans la porte. C'était un sas cylindrique manipulé de l'extérieur. Le geôlier plaçait le bol et le biscuit sur une plate-forme ménagée dans le dispositif cylindrique. Puis il cognait deux fois à la porte avec ses clefs et j'entendais grincer le mécanisme. Je rampais jusqu'à la porte, en la tâtant pour arriver jusqu'au dispositif. Quand mes mains étaient en contact avec la nourriture, je la prenais prudemment et je la consommais. Puis je reposais le bol sur la plate-forme et le gardien la faisait pivoter de l'autre côté et reprenait le bol.

Pendant toute cette opération, je mangeais sans le moindre rayon de lumière. L'obscurité étouffe les sons. Le seul son que j'aie jamais entendu — en dehors de mes propres mouvements et marmonnements — était le cognement des clefs et le grincement du dispositif, une fois par jour.

La seule lumière que je voyais, je la voyais en fermant les yeux. Alors j'avais devant moi un éclat lumineux de brillance et de couleurs pareil à un feu d'artifice. Il disparaissait dès que j'ouvrais les yeux.

C'est une chose de se porter volontaire pour une expérience, de se laisser intentionnellement plonger dans l'obscurité comme cela. C'est autre chose d'y être forcé, de se voir *supprimer* la lumière. Mes yeux avaient *faim* de lumière, de couleur, comme la bouche d'un homme assoiffé peut avoir *soif* de salive. Ils devinrent si sensibles que si je les touchais, ils explosaient en éclats lumineux, en gerbes d'étincelles blanches qu'on aurait dites projetées par un jet d'eau.

Dès que je faisais le moindre mouvement dans la cellule, la poussière se collait à mes narines. Des insectes couraient sur moi quand je m'allongeais et je devins une boule de nerfs à vif.

Je comptai vingt-trois jours en me basant sur le rythme des repas. Puis, un jour, je me levai, j'avais soif et j'allai à tâtons vers le lavabo. Ma main rencontra la tasse et je la saisis dans ma main droite. Je fermai les yeux un instant et une gerbe de rouge et de bleu m'éclaboussa. J'ouvris les yeux sur une obscurité de pleine nuit. Avec ma main gauche, je cherchai le bouton pour faire venir l'eau. Je le poussai et pus entendre l'eau couler goutte à goutte. Je mis ma tasse sous l'eau. Quand j'estimai qu'elle était pleine, je la portai avec précaution jusqu'à mes lèvres et je l'inclinai pour boire.

Je sentis les pattes et le corps de plusieurs insectes courir sur mon visage, sur mes yeux et dans mes cheveux. Je jetai violemment la tasse et portai les mains à mon visage, dans une réaction électrique. Mes yeux se fermèrent et le feu d'artifice jaillit à nouveau.

J'entendis quelqu'un crier au loin et c'était moi. Je m'écroulai contre le mur et comme une catapulte fus rejeté contre le mur opposé. Je titubai d'avant en arrière de la porte aux murs, hurlant. Fou.

Quand je repris conscience, j'étais dans une cellule ordinaire. On m'avait retiré de la *cellule aveugle.* Chaque centimètre de mon corps était noir de crasse et mes cheveux étaient complètement emmêlés.

Je ne crois pas que les *cellules aveugles* soient utilisées dans beaucoup de prisons aujourd'hui...

... Elles sont *toujours* en usage aujourd'hui sous une autre forme et *pas* pour des « raisons médicales ». Elles sont utilisées pour punir. On les appelle « cellules nues » et j'y ai été jeté souvent — parfois pour des mois d'affilée. C'est la *justice* des prisons.

Il n'y a pas d'arrivée d'eau dans ces cellules. Les esprits diaboliques qui conçoivent ces cellules répressives me glacent le sang quand j'y pense. Ainsi cela sous-entend que le prisonnier placé dans une telle cellule doit *réclamer* de l'eau à un gardien. Vous pouvez facilement imaginer qu'en fait le détenu en est réduit à supplier pour *avoir de l'eau.*

C'est une grande boîte carrée en béton. Les murs sont entièrement nus, il y a seulement une porte d'entrée en acier plein. Du plafond voûté, à un mètre cinquante du sol, pend une ampoule nue qui reste allumée jour et nuit.

En fait, il n'y a aucun moyen de discerner les jours dans la cellule, sauf en comptant le nombre de fois qu'on vous sert la nourriture à travers une fente dans la porte. Comment établir un lien entre un tel traitement et ce que vous avez fait pour vous trouver là ?

A partir des murs le sol est en pente douce jusqu'au centre de la cellule. Il s'incline graduellement, comme le fond d'un lavabo. Ou plutôt comme une cuvette de W-C. Au centre, il y a un *trou* d'environ cinq centimètres de diamètre. Il est au même niveau que le sol de béton, comme le trou d'un terrain de golf. Au premier regard, sa raison d'être vous échappe. Des traces d'urine et de matière fécale s'étalent autour du trou jusqu'à environ trente centimètres des murs. La puanteur est permanente.

Il n'y a pas de couchette ni de paillasse. Il n'y a rien d'autre que l'odeur de la merde et de la pisse et l'éclat cru de la lumière — hors d'atteinte, et qui ne s'éteint jamais.

La lumière est là même quand on ferme les yeux. Elle pénètre à travers les paupières et envahit vos sensations visuelles dans un halo blanc grisâtre, si bien que vous ne pouvez vous reposer les yeux. Elle vous élance continuellement dans le crâne.

Généralement on ne vous donne rien d'autre à mettre qu'un caleçon. Et si vous avez de la chance vous aurez une paillasse et un drap. Au début vous vous déplacez gauchement dans la cellule à cause des diverses déjections corporelles que les détenus qui vous ont précédé ont laissées. Pendant les longs premiers jours vous passez les trois quarts de votre temps accroupi le dos collé au mur sur la défensive, accroupi au bord du trou puant. Que vous regardez fixement. Si c'était la désolation qui vous faisait face quand vous regardez autour de vous dans la cellule, elle vous inspirerait sans doute un peu. Les poètes ont chanté les scènes de désolation.

Mais ce qui vous fait face est un cloaque de ténèbres épaisses et d'humeurs visqueuses : un monde souterrain de choses qui grouillent et se glissent à travers des eaux d'égout pustulentes, des paquets de merde, de vomi et de pisse. Il y a l'odeur des pieds pas lavés et la sueur nerveuse des corps étrangers, aussi fermer les yeux n'apporte aucun soulagement.

Si vous êtes dans une de ces cellules pendant des semaines, qui paraissent des mois, vous ne pouvez ignorer tout cela et « vivre avec » ; vous y entrez et en devenez partie intégrante.

Je n'ai jamais souffert de la soif. D'ailleurs personne ici.

Il y a suffisamment de moiteur dans la nourriture pour la tenir à l'écart. Mais il m'est arrivé d'avoir la gorge si sèche que je ne pouvais avaler, que je ne pouvais parler, pendant des semaines. Et vous demandez de l'eau comme ceci : « Eau… Eau… »

C'est la *cellule nue.* Non seulement ces cellules existent toujours dans chaque État de ce pays, mais les architectes des prisons modernes les prévoient quand ils dessinent de nouveaux bâtiments.

Tout homme sain pourrait se demander : quel crime affreux un homme doit-il avoir commis pour être traité ainsi ? La réponse : en prison, n'importe quoi. N'importe quel écart de conduite. Un livre passé en fraude, un meurtre. Un sandwich volé. Ceci ne cadre même pas avec la conception qu'ont les sauvages de la justice : *œil pour œil, dent pour dent.*

… Il existait autrefois une forme de punition carcérale appelée le *régime de la diète forcée.* On vous jetait au mitard et on vous donnait à manger une seule fois par jour et juste assez pour vivre : pour vivre *au mitard,* pas pour vivre comme l'homme ordinaire.

On la pratiquait encore il y a seulement dix ans. Dans certains endroits, on vous donnait du pain et de l'eau une fois par jour — mais le maximum calculé par cette étrange sorte de médecins que j'appellerai techniciens de la douleur était *dix jours* de ce régime. Puis on vous le supprimait pendant au moins vingt-quatre heures, durant lesquelles on vous donnait à manger trois fois. Ensuite, on vous *remettait* à un autre régime de dix jours de famine — c'est-à-dire, si vous vous étiez mal conduit *au mitard ;* sinon, au bout de dix jours, on vous sortait de là.

En tout j'ai fait en trois ans la somme totale d'*un an de diète forcée,* au début que j'étais en prison. J'étais alors un gamin de dix-huit ans. La plus longue période dont j'écopai fut de soixante-dix jours *consécutifs.* Dans cette prison, le maximum que vous pouviez tirer pour une peine de mitard dans des conditions de diète forcée était *vingt-neuf* jours. Généralement, la peine ne dépassait jamais *quatorze* jours, ou deux semaines. C'était pour un *délit* moyen, une infraction mineure au règlement.

On m'y a envoyé une fois pour avoir craché sur un maton qui m'avait craché au visage. Mes peines étaient *toujours* les plus sévères, aussi j'ai été mis au mitard pour vingt-neuf jours par la commission disciplinaire.

Les habitudes pratiquées dans cet État nous permettaient les choses suivantes quand nous étions mis au mitard sous diète forcée :

1) Une bible ou un *Livre de Mormon.* Aucun autre matériel de lecture, aucune autre religion n'étaient autorisé.
2) Une seule tenue blanche, faite de toile blanche (les gardiens du mirador avaient ordre de tirer à vue sur quiconque se trouvait dans la cour dans cette tenue disciplinaire) ; elle révélait votre statut comme une tête rasée identifiait les gosses rebelles, dans la maison de redressement.
3) Une paillasse et un drap.

Rien d'autre. Vous n'aviez pas le droit de recevoir du courrier ni *aucune* visite. Cela comprenait le courrier des tribunaux comme celui de votre avocat — et aucun avocat ne pouvait venir vous voir durant cette période disciplinaire. Quand vous aviez fait votre temps, on vous donnait votre courrier en tas.

J'y étais depuis environ deux semaines, quand un soir, juste au moment où le surveillant sortait après avoir fait sa ronde pour nous compter, quelqu'un cria : « Va te faire enculer ! »

Le maton gueula du haut de la rambarde : « C'est bon, Abbott, ça fait un autre rapport. » Puis il sortit.

Le détenu proposa de se dénoncer pour m'épargner de retourner au mitard crever de faim. A cette époque, les prisonniers se soutenaient entre eux et ce qui était fait à l'un était fait à tous. Je lui rappelai ce code et lui dis qu'il fallait que je trinque.

Le jour suivant, les gardiens m'escortèrent jusqu'au prétoire et je fus condamné à une autre période de vingt-neuf jours que je devais subir après celle dont j'avais déjà fait la moitié.

Une fois, je trempai ma bible dans le lavabo et l'enveloppai étroitement de bandes de tissu arrachées à mon drap pour me faire une bonne matraque. Je fis cela parce que le jour précédent j'avais été dérouillé par des matons qui prétendaient qu'ils fouillaient ma cellule et m'avaient roué de coups dans la foulée. Quand le gardien s'approcha de ma cellule le jour suivant, je l'attirai plus près et lui filai un bon coup qui lui fit une plaie en plein front.

Quand on m'amena devant la commission disciplinaire, on me donna une autre peine de vingt-neuf jours consécutive aux deux autres sanctions. Le surveillant-chef me fit passer le bout de papier sur lequel l'ordre était écrit. Je le pris, en fis soigneusement une boule que je lançai contre sa poitrine.

On me donna une autre peine de vingt-neuf jours. Cela faisait quatre que j'avais à tirer — en gros, quatre mois.

Après avoir purgé ma première peine, on ne me servit pas les trois repas réglementaires (en vingt-quatre heures). Je fis un cirque et reçus une autre sanction de vingt-neuf jours, puis finalement une autre.

Un total de *six mois*. En fait, c'était la peine de mort. J'allais mourir si je restais aussi longtemps en régime de diète forcée, *c'était certain*. Tout les détenus et tous les surveillants le savaient. Le détenu qui avait crié « Va te faire enculer ! » au maton était sorti du mitard et se trouvait déjà dans la cour à ce moment-là mais il demanda à voir le gardien-chef et lui dit que c'était *lui* qui avait proféré l'obscénité contre le gardien, et non moi, dans une tentative pour me sauver. Cela ne servit à rien.

Avez-vous déjà fait l'expérience de la privation de nourriture ? Cela n'a rien à voir avec un régime ou un jeûne. On fait ces choses-là *volontairement.*

Quand les portes glissantes se sont refermées derrière vous dans cette cellule où l'on va vous affamer avec méthode, vous acceptez l'idée qu'il faudra traverser les pires moments — les derniers jours, avant la levée du jeûne forcé. Vous devez vous préserver, aussi vous ne pouvez faire les cent pas ; d'ailleurs, vous devez limiter tout mouvement au strict nécessaire. Vous purgez la peine allongé sur votre paillasse.

Aussi, la plupart des détenus soumis à ce nouveau régime donnaient toujours leur première et unique pitance de la journée à l'homme qui avait passé le plus de temps là et en avait le plus besoin. Le besoin le plus grand est calculé automatiquement en fonction du nombre de jours.

Au début, on souffre psychologiquement. C'est pourquoi les hommes trop gros se plaignent davantage. Mais quand on en est à la survie physique, la souffrance est réellement vécue dans la chair.

J'ai appris un petit secret au cours de cette période. Un détenu de plus de soixante ans me l'a transmis : les cafards sont source de protéines. Ecrasez la prise du jour tout ensemble dans un morceau de pain et avalez cette boule comme une grosse pilule. J'ai été plus loin, avant que ce soit fini, j'ajoutai tous les insectes que je pouvais attraper. Cela vous donne un rayonnement étrange et une sensation de changement du métabolisme quand vous commencez à crever de faim.

En état de privation de nourriture, vous aurez peut-être une défécation mais pas deux. Votre estomac rétrécit aux dimensions d'une balle compacte. C'est ce qui provoque les affres de la faim. Quand il a complètement rétréci, vous ne sentez plus ces spasmes. Vous n'avez plus faim, bien que le reste de votre corps commence à ressentir la douleur et à la prolonger. Vos membres expriment la faim quand votre tissu musculaire commence à se désagréger. C'est une douleur étrange à ressentir. Le besoin de manger devient besoin de dévorer, comme un animal.

Si vous vous gonflez d'eau, vous ne faites que prolonger la souffrance que vous sentez à l'estomac et cela multipliera les autres manifestations de douleur dues à la diète forcée.

Je me suis surpris une fois à considérer le bras d'un maton en ressentant une excitation pareille, je crois, à celle d'un animal carnivore qui aperçoit son dîner sur pied. C'était comme si je pouvais sentir son sang.

J'avais fait soixante jours quand les autres détenus firent une grève du travail. Les matons remplirent le mitard au maximum avec les grévistes. A ce moment-là, je ne souffrais plus de spasmes à l'estomac et mes muscles s'étaient presque tous rétractés. A nouveau, je n'avais pas eu mon répit de vingt-quatre heures.

Je me souviens que je m'arrêtai de consommer mon repas unique de la journée et le donnai aux grévistes en signe de solidarité. Quand ils refusèrent de le prendre, j'insistai et le jetai hors de ma cellule. J'avais atteint l'indifférence, presque l'euphorie. Pourtant, ils m'ont dit que je courais à quatre pattes sur le sol en faisant le geste de ramasser quelque chose. Je suppose que je cherchais mes insectes. Tout ce dont je me souviens c'est qu'un jour je vis la porte de ma cellule s'ouvrir, dans un brouillard vague et lourd. Toute la journée j'avais entendu des cris et des bousculades. Les détenus avaient essayé de prendre un otage pour obtenir ma libération. J'appris tout cela plus tard.

Je pouvais à peine distinguer les quelques visages flous qui se penchaient sur moi, allongé sur ma paillasse. L'un d'eux me porta dans ses bras jusqu'à l'infirmerie. J'ai des visions très fugaces de moi, porté dans le couloir central. Environ une semaine plus tard, je m'éveillai dans une cellule de l'hôpital avec un tube dans le nez, qui était relié à mon estomac. Il y avait un flacon de liquide clair suspendu la tête en bas, dont sortait un tube qui était piqué dans mon bras.

Quand ils ne pouvaient venir à bout de vous en quarantaine ou en haute sécurité — et il fallait vraiment que vous soyez à part — on vous jetait dans une cellule spéciale au troisième étage de la division C, dans *l'antichambre* du corridor de la mort — le vieux corridor de la mort : une cellule baptisée « C-300 ». C'était un cube d'acier à chaudière avec une porte en acier plein. On l'appelait le « réservoir à gaz ». On vous y passait aux gaz lacrymogènes et il n'y avait pas de ventilation. Là, une fois, ils ne m'ont pas nourri pendant une semaine. Ils me donnèrent seulement un verre d'eau par jour. J'y ai été enchaîné au sol pendant des périodes variant de une à deux semaines. « Normalement », je n'étais pas enchaîné. Une fois, on m'y a gardé un an, une autre fois, six mois.

J'étais dans cette cellule le jour où J.-F. Kennedy a été assassiné (le corridor de la mort était en liesse : ils avaient entendu les nouvelles).

J'étais là le jour où un maton à la jambe de bois (un maton qui me crachait à la figure quand on ouvrait la première porte d'acier) ouvrit la porte et lança : « Ta mère est morte hier soir ! », puis me claqua violemment la porte en pleine figure. C'est ainsi que j'appris la mort de ma mère.

Personne n'a jamais fait autant de temps que moi dans la C-300. Personne n'en a jamais pris pour autant que cinq ans — de janvier 1966 à mars 1971 — en quartier de haute sécurité, comme moi. Il a fallu que je m'enfuie pour en sortir.

... Je suis en haute sécurité. Je fais les cent pas dans ma cellule après le repas du soir. J'entends une voix murmurer nettement à travers l'aérateur qui se trouve dans le mur du fond. La voix dit : « Je vais te tuer ! fils de pute ! » Elle dit :

« Jack ! Jack Abbott ! Tu vas mourir ! » Suit un chapelet d'obscénités. Personne ne peut entendre sauf moi.

Je vais vers l'aérateur, tremblant de rage :

— Qui est-ce ?

Le silence se fait un moment, puis :

— Enculé ! C'est moi, Abbott, c'est moi !

Je crois que c'est le prisonnier de la cellule qui fait face à la mienne sur la galerie opposée, de l'autre côté des tuyauteries. Je l'appelle par son nom. Il vient à son aérateur. Il me dit qu'il ne sait pas de quoi je parle. Il s'éloigne. La voix revient. Je regarde prudemment à travers un interstice de l'aérateur. Je vois une main bouger. C'est un maton.

Je lui crie après et il me répond en murmurant clairement des obscénités et des menaces. Je crie que je vais me venger. Il part.

Aucun autre prisonnier ne l'a entendu. Je leur dis ce que le maton m'a fait. Il faut qu'il fasse ses rondes pour nous compter. Quand il passera, je lui jetterai une tasse d'eau.

Il passe — en me souriant vicieusement. Je l'arrose. Le piège se referme violemment. La porte de ma cellule s'ouvre en coulissant. Les gardiens accourent dans la galerie. Nous nous battons, ils s'en vont. Ils avaient attendu que je jette l'eau.

Le lendemain, on m'amène devant le gardien-chef, qui me donne une peine de vingt-neuf jours au mitard en régime de diète forcée. Je lui dis que le gardien m'avait menacé et insulté par mon aérateur. Un psychiatre vient me voir au mitard. Il me dit que j'ai des hallucinations. On me fixe un traitement de trois injections de deux cents millilitres de Largatil par jour. A l'époque j'avais à peine dix-neuf ans. J'ai été un des premiers détenus de ce pays à être soumis à une chimiothérapie en prison. C'est maintenant très répandu. Je me suis battu à chaque fois jusqu'au bout de mes forces (cinq ou six matons entraient dans la cellule, me maîtrisaient en me jetant par terre et m'injectaient le Largatil, trois fois par jour). J'ai subi de graves effets secondaires physiques. A cette époque, on ne savait pas grand-chose de l'effet secondaire appelé « syndrome de Parkinson ». Le médecin de la prison croyait que je simulais.

C'est ainsi que j'eus mon premier dossier psychiatrique.

... Cette lettre a pour sujet l'instabilité des « cinglés » en prison. C'est-à-dire la manière dont on nous traite, nous qui souffrons de cette maladie contractée en prison.

X... m'a dit qu'il a vu un jour Gilmore gelé sur pied, pétrifié jusqu'aux terminaisons de son système nerveux central. Les autorités font en sorte que cela ne se produise pas. Moi-même, j'ai été crucifié cent fois et plus par ces drogues institutionnelles que pour quelque sinistre raison on appelle « tranquillisants ».

Ce sont les *phénothiazines.* Elles comprennent le Melleril, le Largatil, la Terfluzine, le Haldol.

La Fluphenazine est la pire que j'aie connue. Les effets d'une injection durent deux semaines. Vous avez une piqûre toutes les semaines. Les drogues de cette famille ne peuvent calmer ou apaiser les nerfs. Elles attaquent. Elle attaquent en partant de si profond dans votre être que vous ne pouvez localiser la source de la douleur. Les drogues *tournent* vos nerfs contre vous-même. Contre votre propre volonté, votre résistance et votre résolution sont dirigées contre vos propres tissus, vos propres muscles, vos réflexes, etc. Ces drogues sont faites pour vous faire perdre totalement le contrôle de votre corps. Tout ce que vous pouvez faire alors c'est de vous concentrer pour ne pas partir en morceaux (par exemple, lacer vos chaussures).

Vous ne pouvez vous arrêter de trembler. Avec toutes ces drogues vous pouvez avoir le « syndrome de Parkinson » — une réaction physique proche de la maladie de Parkinson. Les muscles de votre mâchoire deviennent incontrôlables, si bien que vous vous mordez l'intérieur de la bouche, votre mâchoire se coince et la douleur cogne. Cela se produit pendant des *heures* chaque jour. Votre colonne vertébrale se raidit, si bien que vous pouvez à peine bouger la tête ou le cou et parfois votre dos s'incline en arrière comme un arc et vous ne pouvez vous redresser.

La douleur broie vos fibres ; votre vue est si trouble que vous ne pouvez pas lire. Vous souffrez d'agitation, qui fait qu'il vous faut bouger, marcher de long en large. Et dès que vous commencez à faire les cent pas, c'est le contraire qui se produit : vous devez vous *asseoir* et vous *reposer.* D'une position à l'autre, debout, assis, vous errez avec la douleur que vous ne pouvez localiser ; dans un tel état d'effroyable anxiété, vous êtes totalement écrasé, parce que vous ne trouvez même pas de soulagement à *respirer.* Parfois un gémissement ou une plainte monte en vous et s'échappe involontairement et les gens vous regardent avec curiosité ; alors ce son qui s'extirpe de votre âme, vous l'étouffez comme si c'était un rot.

Vous le voyez bien. Notre démarche est raide et nous ne balançons pas les bras... Nous ne sommes pas fous, alors pourquoi font-ils cela ? Parce qu'ils ont peur de nous ; nous sommes dangereux. Nous n'avons peur de rien de ce qu'ils peuvent nous faire, pas même des drogues, de la crucifixion.

Sans aucun doute, certains ont besoin de ces médicaments. Ne vous méprenez pas ; je ne prétends pas être médecin. Ceux qui ont besoin de drogues, ceux qui sont malades, *ne les ressentent pas* comme nous. Et les autorités le savent bien. Elles le savent. Les autorités de la prison connaissent bien cette ficelle.

C'est comme l'électrochoc. Il y en a qui en tirent profit. Mais administrer ce traitement à un homme en bonne santé et qui, d'un point de vue médical, n'en a pas besoin devient une forme de torture. Il y a quinze ans on l'utilisait pour punir les détenus.

Quand le surveillant-chef et les matons ne peuvent vous

soumettre, vous intimider, et donc vous faire mal et vous punir, vous *contrôler,* on vous remet aux mains d'un « psychiatre » qui ne vous regarde même pas et qui ordonne de vous mettre sous un de ces traitements. Vous comprenez, si vous défiez le pire châtiment « officiel » que le régime carcéral puisse légalement inventer, c'est que quelque chose ne tourne pas rond dans votre tête. Voilà leur logique.

Pendant des *années,* encore et encore, ils m'ont fait connaître ce manège : gardien-chef, médecin, règlement non respecté. Encore et encore. Un maton me pousse, instinctivement je le repousse, parfois je le cogne. Ça commence comme ça. Au bout du compte, je finis par bégayer comme un idiot et par tituber — en général pour six mois à un an d'affilée — sous l'effet des drogues, jusqu'à ce que finalement on me les supprime, et qu'on me libère pour rejoindre les prisonniers « normaux » parmi la population principale de la prison. J'y reste jusqu'au prochain « incident » qui conduit à ma « punition » et encore une fois le cycle recommence, comme un manège devenu fou. Ils savent ce qu'ils font, même s'ils ne l'admettent jamais devant qui que ce soit. Ils ne veulent même pas l'admettre devant *moi.* Personne ne s'attend à me voir devenir un homme meilleur en prison. Alors, pourquoi ne pas le dire : l'objectif est de m'anéantir, de m'anéantir complètement, d'imprimer sur mon visage la marque indélébile de cette bête qu'on nomme prison.

... J'écris avec mon sang parce que je n'ai rien d'autre — et parce que ces choses sont très douloureuses à faire remonter de la mémoire. Cela me vide.

... On dit : la première blessure est la plus profonde. Ne croyez pas cela. La première blessure n'est rien. Vous pouvez me cracher à la figure une fois, deux fois et ce n'est rien. Vous pouvez me prendre quelque chose qui m'appartient et je peux apprendre à vivre sans. Mais vous ne pouvez me cracher à la figure tous les jours pendant dix mille jours ; vous ne pouvez me prendre tout ce qui m'appartient, une chose après l'autre, jusqu'à ce que vous en soyez réduit à vous attaquer à mes yeux, à ma voix, à mes mains, à mon cœur. Vous ne pouvez faire cela et dire que ce n'est rien du tout.

On m'a rendu hypersensible — ma chair même a été forcée d'éprouver des sensations et des désirs exacerbés que je n'avais jamais expérimentés auparavant. J'ai été mis en pièces par une vie de privation de sensations ; par des rossées si fréquentes que je ne suis plus qu'un paquet de viande et d'os ; par des mensonges et des drogues qui attaquent mon système nerveux. Mon esprit s'est transformé en acier par la fusion continue du *temps* passé en réclusion.

J'ai été manipulé par la justice comme d'autres hommes peuvent être manipulés par l'amour.

Une fois, on m'a emmené du pénitencier fédéral d'Atlanta au centre de détention fédéral de Butner (Caroline du Nord) pour des expériences psychologiques — le résultat d'une fausse accusation de complicité dans une attaque au couteau contre un gardien, qui faillit lui être fatale.

A Butner, on me dit presque dès mon arrivée qu'un mouchard anonyme, parmi les détenus, avait dit que j'envisageais de m'enfuir. Je fus conduit par environ vingt surveillants et d'autres employés de la prison, à une cellule d'observation psychologique spéciale. Butner avait été conçu de bas en haut d'après des plans quasi futuristes. C'est un établissement extrêmement moderne qui pourrait facilement servir de cadre à un film de science-fiction.

La cellule d'observation psychologique où l'on me conduisit était conçue comme un aquarium — sauf, bien sûr, que le verre était incassable. On ne pouvait ni voir, ni entendre un autre être humain, ni être vu de personne d'autre que le personnel de la prison.

Le sol était en béton et, au centre, il y avait un trou d'écoulement couvert d'une grille ronde, comme dans une douche.

Une plaque d'acier aux pieds métalliques vissés au sol : c'était le « lit », et il n'y avait rien d'autre dans la cellule. Le lit était recouvert d'un tapis de caoutchouc de deux centimètres d'épaisseur.

On me fit déshabiller. Je fus forcé de m'allonger sur la plaque d'acier. On m'enchaîna chaque cheville à un coin de cette plaque, et mes poignets furent enchaînés, au-dessus de ma tête, aux deux autres coins, si bien que j'étais complètement écartelé.

Il y avait quelques femmes dans le personnel (la plupart appartenaient à l'armée américaine). C'était en 1976, dans la seconde moitié de l'année.

Pour uriner, je devais tourner le torse de manière que mon sexe pende d'un côté du « lit » et alors l'urine pouvait s'écouler dans le trou que j'ai décrit plus haut.

On me nourrissait comme un bébé à chaque repas. Le jour après que l'on m'eut enchaîné, plusieurs matons entrèrent dans la cellule et me bourrèrent de coups de poing dans la figure, la poitrine et l'estomac. Une main me serra la gorge et je fus au bord de la strangulation, puis ils lâchèrent prise. Ma gorge était tuméfiée et toute bleuie. Puis on m'attacha à nouveau, cette fois à l'aide de chaînes de fer et non plus de bracelets de cuir. Ainsi pendant dix jours. Durant cette période, je fus attaqué trois fois. Enfin le « technicien médical » remarqua que les nerfs de mes bras mouraient — les zones entre les poignets et les coudes.

Alors environ vingt gardiens revinrent. Ils défirent mes chaînes et m'habillèrent d'une combinaison en nylon. Je regardai alors mon reflet dans la fenêtre ; mon visage était noir et mes yeux gonflés. J'étais couvert de contusions. Ils me passèrent les menottes et les fers aux jambes et me conduisirent en section d'isolation normale. Là un seul de mes poignets fut maintenu enchaîné au croisillon de fer à la tête du lit. Je pouvais me tenir debout. C'est à ce moment-là que j'ai commencé à vous écrire, du mitard, une main enchaînée à mon lit.

On m'a gardé ainsi enchaîné jusqu'au moment où il fallut m'envoyer d'urgence au centre médical fédéral dans le Missouri. On m'enleva la vésicule biliaire. J'avais des calculs, mais les corrections répétées avaient fait empirer mon état et j'appris que le tissu de la vésicule s'était déchiré à cause des frottements répétés des calculs, dus aux coups.

... Les matons forment une ligne d'attaque peu serrée de votre cellule à la douche. Vous devez traverser une distance de trente centimètres environ. Ils vous regardent comme si vous n'étiez pas là, mais enregistrent chacun de vos mouvements. Ils observent l'expression de votre visage car ils veulent n'y voir qu'humilité et déférence. Toute autre expression les fait monter sur leurs ergots, leurs bouches dessinent un rictus et ils serrent leurs poings contre leurs hanches.

Vous êtes nu. Le sol est mouillé du passage des autres détenus avant vous. Il y a aussi des traces de sang, fraîches.

Vous fixez le sol. Quand vous avancez, il faut baisser les épaules et traîner les pieds. Il faut avancer lentement — mais pas trop lentement. Votre allure doit être timorée. Vous ne devez pas glisser.

Croisez les bras. Croisez les bras derrière votre dos. C'est la meilleure façon de les assurer que vous êtes incapable de nuire. C'est l'une des attitudes des doux dingues. Essayez de les faire rire de vous. Faites-vous tout petit. Ça devrait aller.

Ne me dites pas que vous ne suivrez pas ces conseils. Autrement, vous serez battu comme plâtre. Les matons sont engagés pour leurs poings. Ce sont des fiers-à-bras des monts Ozark, dans le Missouri. A deux ou trois, ils ont extrêmement peur de vous, mais à six ou sept ils n'ont pas peur d'un prisonnier, nu. Peu importe si le prisonnier est fort ou dangereux : dans ce cas, ça ne change rien.

Tous les contours sont entourés d'un faible halo qui s'irradie en un brouillard vague à l'extérieur. Votre esprit ne fonctionne plus. C'est parce que vous êtes sous l'effet d'une phénothiazine — n'importe laquelle (ou une combinaison de plusieurs) des dix ou quinze drogues connues sous leur nom de spécialité. Mélangées au terrorisme, c'est la mort en marche. Elles produisent toutes les mêmes résultats, mais chacune a sa petite particularité. Si vous avez été régulièrement sous Melleril, vos testicules ne produisent plus de sperme. Si vous vous masturbez, si vous arrivez à vous fabriquer une érection artificielle — vous éprouvez lors de l'orgasme les sensations habituelles de tension et d'éjaculation, mais avec cette différence : absolument aucune substance n'est produite par l'éjaculation — aucun liquide, encore moins du sperme.

Si vous n'en connaissez pas la cause, dans votre état drogué vous pouvez éprouver une anxiété, une terreur difficile à décrire. Cela vient alimenter votre désespoir, le fait que vous vous trouvez sans savoir comment atteint dans votre fonction sexuelle.

Ne dites rien à l'un des psychiatres de la prison qui passe devant la porte de votre cellule chaque matin. Quand son visage apparaît à la vitre, quand il sourit comme un robot et dit : « Comment ça va ce matin ? », fuyez en vous-même. Souriez gaiement et clignez des yeux quand vous répondez : « Bien, bien ! » Sinon il *doublera* votre dose. Ils vous punissent si vous les embêtez, si vous signalez des complications.

Je comprends comment, en prison, l'esprit d'un homme peut être transformé en un bloc d'acier — c'est seulement ainsi qu'il peut se mesurer aux cruautés qui l'entourent. L'Oncle Ho a écrit ce poème en prison :

Sans le froid et la désolation de l'hiver
Il ne pourrait y avoir la chaleur
et la splendeur du printemps
Les épreuves m'ont trempé et aguerri
et ont transformé mon esprit en bloc d'acier.

En treize ou quatorze ans, je n'ai jamais oublié cela.

... Quand j'ai évoqué avec poésie l'esprit du détenu bloc d'acier, je voulais transmettre l'idée d'une volonté « cuirassée » au cours d'épreuves et de coups durs si profonds que la résolution du détenu, son pouvoir d'appliquer une « logique de fer » se trouvent renforcés et non affaiblis. Un effet contraire à celui de la torture. Je ne voulais pas du tout dire que le prisonnier perdait toute humanité.

Je sais comment traverser n'importe laquelle des épreuves qu'ils inventent pour moi. J'ai été soumis aux cellules nues, aux cellules aveugles, j'ai été enchaîné au sol et au mur ; j'ai survécu aux passages à tabac, évidemment, et *toutes* les drogues que la science a inventées pour « modifier » mon comportement, je les ai endurées. La diète forcée m'était devenue naturelle ; je n'ai plus de répugnance à manger les insectes de ma cellule ou à vivre dans mes excréments si cela veut dire survivre. Ils ont même *armé* des psychopathes et les ont placés en cellule disciplinaire avec moi pour qu'ils me tuent, mais je peux dominer ce genre de choses. Quand on dit : « Ce qui ne me détruit pas me rend plus fort », je sais ce que cela veut dire. Mais c'est une erreur de mettre sur le même plan le résultat ainsi obtenu avec la force d'un individu. Je suis extrêmement souple, mais je ne suis pas *fort.* En fait, je suis affaibli. Je suis mince, timide, introspectif et méfiant à l'égard de tout le monde. Un bruit fort ou un faux mouvement s'enregistrent dans mon cerveau comme une alarme d'incendie. *Mais je n'ai pas peur — et c'est étrange,* car je souhaite vraiment être libéré un jour et j'ai envie de pleurer pour mes frères avec qui j'ai passé toute une vie. Un jour, je les quitterai pour ne jamais revenir.

... Et après que l'on vous a fait tout cela, après que l'on vous a complètement volé votre peur et qu'aucune menace de quiconque ne peut vous retenir — à quoi cela sert-il de vous garder en prison ?

Il n'est plus *possible* de vous punir. On vous a rendu impunissable. La folie est le seul objectif pour lequel on vous garde en prison. Ou la vieillesse.

Mais pour quelque raison perverse — je ne sais pas *pourquoi* — on ne m'a jamais fait basculer dans la folie. J'en ai été proche, bien souvent — je suis même entré dans la folie — mais il s'est avéré que ce n'a été qu'un simple contact. Je retombe toujours dans la santé mentale.

J'ai maintenant atteint un tel stade que je peux repérer le moindre dérangement à bonne distance — je constate ses plus subtiles expressions même chez des hommes qui ne sont pas considérés comme fous.

C'est comme si j'étais le pôle d'un aimant et la folie un autre pôle. Elle ne peut pas m'attirer, mais je la connais par répulsion : par la force qui me repousse avant même que je sois conscient qu'elle est là.

Le mitard

Pour que ce soit vraiment le « mitard », il faut qu'il n'y ait qu'un homme par cellule. Il y a des rangées de cellules sur un étage, mais au mitard — le vrai mitard — jamais deux détenus ne sont hors de leur cellule en même temps.

Il y a toujours des voix dans le mitard. C'est une chose étrange. J'ai vu des *guerres* se dérouler dans le mitard. J'ai vu l'amour sexuel avoir sa place dans le mitard. En fait, j'ai vu les choses les plus incroyables *se passer* dans de telles conditions. Disons qu'une sorte de mouvement qui n'est pas vraiment le mouvement y existe. Pour vous donner une idée : faire quinze kilomètres de marche dans un espace réduit n'est pas vraiment le mouvement. Il n'y a pas quinze kilomètres d'espace, seulement quinze kilomètres de temps. Vous ne faites pas quinze kilomètres. En d'autres termes, pour écrire sur le mitard, il faudrait que j'explore toutes sortes de lieux.

... On m'a traîné au mitard, tandis que je me débattais, un nombre incalculable de fois. Un jour à Leavenworth, j'ai été transporté au mitard par l'équipe de sécurité (les cogneurs). Mes mains étaient liées par des menottes derrière mon dos. Un maton de près d'un mètre quatre-vingt-dix et cent vingt kilos était le chef. Il devait avoir quarante-cinq ans mais il était ferme comme un roc. Les matons me tenaient allongé à plat ventre sur le sol bétonné tout en me donnant des coups de poing et de pied. J'avais l'impression d'avoir une meute de chiens sur le dos. Le grand, le chef, m'ordonna de me lever. Il fit signe aux autres de s'écarter, et, je le jure à la face de Dieu, vous ne me croirez pas, il m'arracha les vêtements de quelques coups donnés à toute volée. Le tissu me déchira la peau comme des lames de couteau. Je tombai à terre. Il lança un coup dans mes bottes et me les arracha d'un autre coup, en tranchant les lacets. Pendant tout ce temps, j'essayai de garder la tête froide en restant passif et souriant. Je pensais qu'ils avaient tellement peur de moi qu'ils devenaient des animaux, ce qui était vrai, mais je ne pouvais les calmer. C'est la fois où ils me jetèrent face contre terre dans une cellule au fin fond de la prison. Ils pesaient de tout leur poids les pieds sur moi tandis que l'un d'eux défaisait mes menottes. Le maton qui avait arraché mes vêtements fut le dernier à quitter la cellule. Je les entendis sortir à reculons de la cellule et je me retournai sur le côté. J'avais mal partout. Et alors ce maton, qui m'avait semblé le moins émotif de tous, sortit son sexe, un sourire grimaçant sur le visage, et il se mit à sauter à pieds joints, les genoux pliés. Il faisait semblant de se masturber. Puis il referma sa braguette et quitta la cellule en ricanant.

Vous êtes en cellule d'isolation, macérant dans le néant, non seulement votre propre néant, mais le néant de la société, des autres, du monde entier. La léthargie des mois qui se transforment en années, dans la cellule où vous êtes seul, s'enroule autour de chaque activité « physique » du corps vivant et petit à petit l'étrangle jusqu'à la mort, le pourrissement horrible des vrais morts-vivants. Vous ne faites plus de tractions ni autres exercices physiques dans votre petite cellule, vous ne faites plus les « quatre pas » de long en large dans votre cellule. Vous ne vous masturbez plus, vous ne pouvez imaginer aucune vision érotique d'aucune forme ; et vos organes génitaux, comme vos membres, ne fonctionnent que pour garder votre corps en vie.

Le temps descend sur votre cellule comme le couvercle d'un cercueil où vous seriez allongé, le regardant se fermer lentement sur vous. Quand vous ne bougez plus et ne pensez plus dans votre cellule, vous flottez dans le néant absolu.

L'isolement cellulaire peut modifier les composantes ontologiques d'une pierre.

... Mes années en isolement m'ont changé plus que je ne veux bien l'avouer, même à moi-même. Mais je vais essayer de relater l'expérience, parce que vous êtes compréhensif, et que ce que vous ne comprenez pas est seulement ce que vous ne pouvez comprendre, parce que *vous* n'avez pas connu l'expérience d'années de mitard. Vous *écoutez,* et c'est tout ce qui compte.

C'est difficile pour moi de commencer. Il m'est souvent difficile de commencer, maintenant.

Mais il se passe quelque chose là-bas au mitard, quelque chose qui est comme un événement, mais cet événement ne peut se produire que sur un certain nombre d'années. Il ne peut se passer dans le temps et l'espace que nous connaissons ordinairement.

Peu de détenus en ont fait l'expérience. Cela ne rate *jamais :* la plupart des détenus que je connais, qui ont été en prison à diverses reprises au cours de leur vie, vous diront qu'ils ont fait *cinq* ans de mitard. Ils mentent tous, et je ne sais pourquoi ils doivent dire qu'ils ont fait *cinq* ans au mitard. Pourquoi cinq ans ? Je ne comprends pas pourquoi ce chiffre leur vient à l'idée à tous. Ils ne disent pas : J'ai fait *quatre* ans, ou *trois* ans — pas même six ou sept ans. C'est *toujours* cinq ans. J'en *connais* peut-être une demi-douzaine qui ont effectivement fait cinq ans ou six ans, mais ils sont très rares. Refermons cette parenthèse. Disons que vous êtes dans une cellule de trois mètres de long sur deux mètres de large. Cela fait six mètres carrés de surface *au sol.* Mais votre paillasse fait un mètre quatre-vingts sur quatre-vingt-dix centimètres, la cuve d'aisances en fer représente au moins quatre-vingt-dix centimètres sur soixante. Tout bien mesuré, vous disposez de quatre mètres et trente centimètres carrés environ. Cela dégage un passage de deux mètres dix sur quatre-vingt-dix centimètres, l'excédent est occupé par des espaces ici et là entre la commode et le mur, entre le pied du lit et le mur. Si j'étais un animal logé au zoo dans une cage de ces dimensions, la S.P.A. ferait arrêter le directeur du zoo pour cruauté. Il est illégal de loger un animal dans un espace aussi réduit.

Mais je ne suis pas un animal, aussi je ne revendique pas de tels droits. Mon corps communique avec la cellule. Nous échangeons température et courants d'air, odeurs et saletés sur le sol et les murs. J'essaie de la garder propre, de nettoyer tout témoignage de ma présence, pendant la première année ou deux, puis je laisse courir.

J'ai fait l'expérience de tout ce qu'il est possible d'expérimenter dans une cellule au cours d'une brève période — un jour ou deux si je suis actif, une semaine ou deux si je manque d'énergie.

A partir de là je dois combattre la routine, la monotonie qui m'enterrera vivant si je ne fais pas attention. Il faut que je lutte, et sans perdre la raison. Aussi, je lis, je lis tout et n'importe quoi. Aussi je me parle parfois à moi-même, parfois je récite de la poésie.

J'ai mes souvenirs. J'ai les bons, les mauvais, ceux qui ne sont ni l'un ni l'autre. Au fond, j'ai mon propre moi.

J'ai mon passage de deux mètres sur un, et je marche à différentes vitesses selon mon humeur. Je pense. Je me souviens. Je pense. Je me souviens.

Au mitard, la mémoire est suspendue. Je pense à chaque chose dont je me souviens, je l'étudie en détail, encore et encore. Je la rapproche d'autres, je la mets sous une tête de chapitre qui dit ma pensée à ce sujet. Pour finir, elle change et commence à se libérer des faits pour rejoindre mon imagination. Quelqu'un a dit qu'*être, c'est se souvenir.*

Elle parcourt le domaine du temps d'une manière pure, sans y être liée, détachée à l'égard du passé comme de l'avenir. La mémoire ne s'enrichit pas de nouvelles expériences. C'est une mémoire *mutilée,* une mémoire privée de tout mouvement autre que celui du corps isolé qui parcourt des milliers de kilomètres dans les limites de ma cellule de prison.

Mon corps joue avec mon esprit ; mon esprit joue avec mon corps ; plus je m'aventure dans le domaine du temps, de mes souvenirs, plus je pénètre dans mon imagination. L'imagination — associant ce souvenir-ci avec celui-là, celui-là avec celui-ci, toute permutation et toute combinaison possible — remplace de nouvelles expériences qui, si elles ne l'enrichissaient pas, du moins la laisseraient intacte.

Je me souviens bien, avec une telle clarté que je suis aveuglé par le souvenir. C'est comme si j'avais oublié — mais c'est que je me souviens si bien — trop bien !

Pourquoi suis-je ici ? Parce que j'avais besoin de cet argent ? Ou à cause des empreintes laissées sur le comptoir ?

Qu'était-ce ? Un vol ? Ou était-ce cette fille au bord de l'étang, qui me souriait dans sa robe à fleurs ?...

Où étais-je ?

Tout souvenir comporte un élément de souffrance et de déception. Il fait des reproches à sa manière. Ces éléments sont normalement éclipsés par une familiarité avec laquelle nous pouvons vivre à l'aise et oublier allègrement le reste. Le reste : il n'y a pas de reste. Mais une qualité avec laquelle nous pouvons vivre à l'aise, un certain degré de quiétude.

Au mitard, au bout d'un moment les éléments douloureux commencent à jeter des racines et à pousser comme des herbes fragiles dans le jardin de la mémoire — jusqu'à ce que finalement, après si longtemps, elles étouffent complètement toutes les autres plantes du jardin.

Il vous reste une terre inculte, sauvage, recouverte d'herbes broussailleuses, de silex et de poussière. On appelle ça le mal à l'âme.

De même pour les idéaux. Tout le monde en a quelques-uns : une pointe d'idéalisme, un soupçon de passion. Tandis que s'écoule la vie au mitard, dans le terrain pur du temps, vos passions sont de moins en moins excitées à l'aide des souvenirs et de plus en plus par vos idéaux. Amour, Haine, Égalité, Justice, Liberté, Guerre, Paix, Beauté, Vérité, ils finissent tous par devenir des Idoles, des Dieux purs et abstraits qui exigent de vous loyauté et obédience éternelle. Des petits Hitler sortent de tout sentiment précieux, toute notion innocente qui vous est passée par la tête, toute pensée sur vous, sur votre peuple, sur le monde — tous deviennent autant d'idoles, indifférentes les unes aux autres, qui avec stridence vous imposent leur loi au mitard.

Vous ne pouvez les remplir avec vos jours, vos années, car ils sont vides aussi. Mais vous essayez — Dieu, comme vous essayez.

Le désert qu'est votre mémoire passe maintenant sous la dictature absolue d'idoles trop horribles à imaginer.

Ce sont les vents durs et cinglants qui torturent les buissons secs arrachés à la prairie desséchée de la mémoire — les vents fous et durs qui fouettent de chaotiques petites colonnes de poussière qui se tordent quelques centimètres au-dessus du sol comme de petits tourbillons. Ce sont les soleils brûlants qui calcinent la végétation hérissée et torturent l'air qui miroite en vagues de chaleur suffocante s'exhalant de la pierre dure et morte. Ce sont les nuits froides et impitoyables du désert qui n'offre de sursis qu'aux serpents à crochets. C'est la *punition.*

N'approchez pas de vous-même.

Puis les mirages dans le paysage désertique. Vous êtes

loin de la folie ; vous ne faites que vivre une expérience, un événement. Les mirages sont des réflexions réelles de la distance que vous avez parcourue dans ce pur terrain du temps. Ils *sont* réels. Ils replacent des choses maintenant incongrues dans le désert qui était autrefois le jardin bienheureux de votre mémoire. *Là, une femme chérie apparaît. Vous vous approchez, vous venez contre elle, vous la touchez et elle vous caresse, puis elle disparaît dans un miroitement pour révéler l'homme se masturbant que vous êtes devenu et caressez si tendrement. Il y a une fleur très belle non loin, elle ouvre ses ailes radieuses dans une promesse de printemps parmi les herbes poussiéreuses. Plus soudainement qu'elle est apparue, elle disparaît pour révéler une tache sombre sur le mur de la cellule fétide et moisie. Un ruisseau bruit sur les cailloux terreux de l'étendue désertique, il promet d'étancher votre soif, et au moment où vous vous retournez, il disparaît dans la chasse d'eau des toilettes.*

Tout ce que vous pouvez connaître au mitard, c'est ce que vous vous faites à vous-même et, après un intervalle indécent, chaque expérience occasionnelle prend la qualité révolue et douce d'un souvenir resté en friche sous la surface désertique. Un mot dans une phrase, une intonation dans une voix ou un son ; une essence fugitive dans une odeur ou un goût ; une texture momentanée dans une sensation tactile ou une combinaison de mouvements, de formes et de couleurs attrapés par la queue de votre champ visuel. Ils peuvent faire revivre une bonne expérience. Les choses réelles : ce sont les mirages dans le désert.

Le monde réel est déplacé dans le mitard, mais le mitard n'en est pas moins réel. C'est le temps qui cesse d'avancer dans l'expérience humaine. Vous pouvez marcher, placer un pied devant l'autre, à travers l'éternité du temps. Tout l'espace dont vous avez besoin tient en moins de deux mètres. Le mitard ne vous procure que cela : vous vivez une démonstration de la théorie de l'infini à l'intérieur du fini, du rêve à l'intérieur de la réalité.

Mais le mitard n'est pas de l'étoffe des rêves ou des fantasmes ; il est bel et bien réel. Et même il est si réel qu'il vous hante.

Les expériences arrivent rarement ou alors seulement par extrêmes : intensément vivantes ou platement monotones. Les peintures surréalistes ont tenté de capturer — avec quelque succès, je l'avoue — les nouveaux rapports qui s'établissent et sont très réels dans la vie au mitard. Ce *n'est pas* un rêve. *Pour vous,* ce n'est pas un rêve. Vos paroles et vos pensées ne peuvent que refléter la condition d'existence de vos sensations et de vos sentiments ; ils ne connaissent pas le terrain difficile sur lequel ils se développent. Peu de pensées conçues au mitard sont conscientes de leur vrai support.

Vous devenez silencieux, contemplatif, parce que vous êtes replié sur vous-même. Votre perception sensorielle ayant absorbé tout, y compris vous-même à l'intérieur des limites finies du mitard, traverse la monotonie et s'élève de *l'autre côté,* l'infini, pour que la réalité vienne vous hanter. Ceux qui sont hors du mitard, en ce moment, l'appelleraient rêve — mais vous, enfermé dans le mitard, êtes dans la réalité, pas dans le rêve.

Que suis-je ? Est-ce que j'existe ? Est-ce que le monde existe ? Est-ce que je vais m'éveiller et découvrir que tout ceci est un rêve ? Y a-t-il un Dieu ? Suis-je le diable ? Qu'est-ce que c'est, être mort ? Quel est le goût de l'eau des WC ? Comment est-ce de mettre un doigt dans mon cul ? Que se passerait-il si je chiais par terre ? Ou si je pissais le long de mes jambes ? Suis-je homosexuel ? Comment est-ce de dormir sur ce sol en béton crasseux ?

L'esprit dénué d'expérience par privation sensorielle du social dans le mitard conçoit que ses facultés intellectuelles sont capables de mettre en action dans le cerveau un appareil fictionnel. L'esprit va en quelque sorte croire qu'il peut maîtriser cet appareil et l'utiliser pour déplacer des objets, pour détruire, modifier ou créer des choses à l'existence concrète. Privé d'un Dieu plein de grâce, l'esprit se rend à l'inexistant. Au néant.

Si je me concentrais, pourrais-je fondre ou tordre les barreaux de ma cellule ? (Oui. Hum !) Dois-je d'abord essayer de me concentrer pour déplacer cette bribe de poussière là par terre ? (Oui. Hum !) Est-ce qu'elle a bougé ? (Je l'ai vue se déplacer.)

L'intelligence recule. Ce n'est plus un instrument de connaissance — parce que la connaissance est fondée sur l'expérience — mais un instrument du monde externe qu'elle est privée de connaître. Elle essaie d'entrer en contact avec d'autres esprits par télépathie ; elle devient l'Ancêtre. Les *mots* et les *chiffres* en viennent à acquérir une signification mystique : ils ont été inventés par quelque magie mystérieuse plus ancienne que l'homme. La ligne qui sépare le mot et la chose disparaît ; les intervalles des nombres dans l'infinité s'évanouissent avec l'infinité. Maintenant l'esprit se terre dans la peur et la superstition devant les idoles du mitard, terrifié : *Je ne veux plus parler. Il n'y a rien d'intéressant que vous puissiez dire. Je ne me souviens pas avoir jamais été heureux. Personne n'a jamais été bon pour moi. Tout le monde me trahit. Il n'y a personne qui puisse comprendre — ils sont trop ignorants. Vous n'avez pas souffert ce que j'ai enduré. Vous m'avez traité de certains noms (homosexuel). Vous ne comprenez pas. Vous vous moquez de moi (cinglé). Le monde n'est rien. Une illusion. C'est la mort la libération.*

Mais une sorte de génie peut sortir de cette privation de sensation et d'expérience. On l'a pris à tort pour l'intelligence naïve, quand en fait c'est l'intelligence *vide,* l'intelligence pure. *La composition de l'esprit est modifiée.* Son état de culture précédent est désintégré et il a un accès plus facile au *cerveau* et au *corps.* C'est la Supersanté mentale. Le savoir est retourné comme un gant. On commence au sommet et on travaille jusqu'à la base. On doit étudier la théorie mathématique avant l'arithmétique, la physique théorique avant la physique appliquée et, à la limite, l'anatomie avant de savoir marcher.

On doit étudier la philosophie à fond avant de pouvoir comprendre les différences de catégorie les plus simples que l'on retrouve dans le langage ou dans toute maxime morale ou éthique toute simple.

D'ailleurs, c'est presque devenu une règle : plus une chose est simple et ordinaire, plus elle est difficile à comprendre.

Vous avez décrit un cercle complet; vous avez fait l'expérience de cet événement unique qui se déroule là-bas au fond du mitard de la prison. Combien de temps prend-elle ? Des années. Je dirais au moins cinq ans.

... Ils ont fini par mettre un nom sur ce dont j'ai souffert en isolement cellulaire : *privation sensorielle.* Les premières fois que je purgeai ainsi quelques années, je ne vis que trois ou quatre couleurs tristes. Je ne sentais que le béton et l'acier. Quand on me libéra, je ne pouvais m'orienter. Les chemises d'un bleu neutre de l'uniforme des prisons me frappèrent et m'éblouirent par une beauté qu'elles n'avaient jamais eue. Toutes les couleurs m'éblouissaient. Un bout de bois me fascinait par son toucher, sa texture. Le mouvement des choses, les nombreux prisonniers déambulant, et la multitude de leurs voix — partant toutes dans des directions différentes — m'étonnaient. J'étais lent, béat et égaré — mais sous cette surface, j'enrageais.

Je peux évaluer combien j'ai été gâché par le fait que je ne suis plus désorienté par l'isolement au mitard. Il s'est finalement insinué jusque dans mon cœur : je ne peux plus mesurer ma privation. Disons que je ne peux plus mesurer mes *sensations.* Je peux cependant rétablir les proportions mentalement.

... Je vous ai expliqué l'autre jour que la cellule régule les humeurs du corps. L'esprit ne régule pas son propre état. Ainsi la dépression est un état d'esprit provoqué par le corps. Dans une cellule du mitard on a seulement l'*impression* que l'esprit et le corps sont séparés — en fait l'état du corps (privation de sensations, expériences, fonctions, etc.) contrôle les humeurs de l'esprit plus que dans toute autre situation que je connaisse.

William James a décrit ce rapport quand il a dit que nous devenons tristes parce que nous versons des larmes : nous ne versons pas des larmes parce que nous sommes tristes. C'est notre état originel d'êtres humains.

Il y a longtemps au mitard, au début que j'étais en prison, j'étais allongé par terre sur le ventre, j'écrivais une lettre appuyé sur les coudes. J'étais donc penché directement sur la page sur laquelle j'écrivais.

Mon humeur était « normale » — je veux dire l'humeur normale d'un détenu au mitard. Je me souviens que je remarquai en écrivant l'apparition de petites taches d'eau sur le papier. Je les touchai du bout du doigt et m'étonnai de ce phénomène — quand soudain je me rendis compte que des larmes roulaient de mes yeux, et immédiatement je me mis à sangloter de manière incontrôlable. C'était la seule et unique fois que je pleurais depuis que j'étais enfant. Je ne sais pas *pourquoi* maintenant, et je n'en connaissais pas la cause alors. Je devais pleurer sur tout, tout ensemble.

... Un homme est retiré à son expérience de la société, retiré à l'expérience d'une planète vivante, pleine de choses vivantes, quand il est envoyé en prison.

Un homme est séparé d'autres prisonniers, de son expérience des autres, quand il est enfermé au mitard en isolement individuel.

Chaque étape l'éloigne de l'expérience et le réduit à seulement l'expérience de lui-même.

Il y a une *chose* que l'on appelle la mort et nous l'avons tous vue. Elle met fin à une vie, à une chose individuelle vivante. Quand la vie prend fin, la chose vivante cesse d'exister par l'expérience.

Le *concept* de la mort est simple ; c'est quand une chose vivante ne connaît plus d'expériences.

Aussi quand un homme est éloigné de plus en plus de l'expérience, il est conduit à sa mort.

Les matons

Les matons des prisons fédérales et des prisons d'État — surtout dans le système judiciaire — me traitent avec une telle violence que je ne peux imaginer éprouver un jour autre chose pour eux que la haine la plus profonde, la plus douloureuse, la plus déchirante. Je ne pourrais jamais vous dire ce qu'ils me font. A un rien près, ils m'auraient détruit.

... Vous m'avez demandé comment on inculque la violence aux détenus.

En près de vingt ans, je n'ai jamais été en contact physique avec un autre être humain si ce n'est pour me battre ; dans les actes de violence, de lutte.

Comment est-il possible de faire autrement ? Les sports de contact ne sont autorisés dans aucune des prisons où j'ai été enfermé.

... Pouvez-vous imaginer ce que signifie être une victime du terrorisme du mitard ? A tout moment, la porte de la cellule peut s'ouvrir violemment, des gardiens entrer et vous battre comme plâtre, même pendant que vous dormez. A tout moment.

C'était chose *banale* dans ce qu'on appelait les quartiers psychiatriques du centre fédéral médical pour les détenus, quand j'y étais. Un détenu n'avait aucun mot à dire, aucun geste à faire, pour que s'abatte la terreur.

Les gardiens ne vous parlent pas. Vous êtes du *bétail,* dépourvu de la faculté de penser. Il est arrivé qu'on me désigne du doigt un endroit sur le sol, ou la salle d'exercices, et que l'on m'y précipite en me poussant dans le dos, parce que dans leur mépris les matons ne reconnaissent pas qu'un détenu puisse comprendre quelque chose.

... A cette époque, les gardiens de ce service prenaient sur eux de prescrire des injections de phénothiazines aussi puissantes que la Fluphenazine, et toutes ces drogues sont *dangereuses.* Elles ne vous *tueront* pas, mais elles feront certainement de vous un infirme. En fait elles vous *lobotomisent.*

J'ai été attaqué si constamment et si arbitrairement dans ma cellule là-bas qu'au bout d'un moment mon désir de soulagement physique était si puissant et si dominant que lorsque finalement les matons arrêtaient leur attaque et quittaient ma cellule, il m'arrivait d'avoir une érection, par désespoir et par souffrance.

Je devais alors me masturber pour me soulager, mais non me masturber en m'aidant d'un fantasme visuel, de mon imagination. L'acte purement physique de caresser le pénis après avoir été maintes fois exposé aux attaques suffit. C'est une chose totalement physiologique, totalement involontaire.

Si j'étais un homme ordinaire, avec des méprises ordinaires, j'aurais facilement pu me tromper sur ce qui se passait en moi. J'aurais pu me méprendre au point de devenir un masochiste ou un sadique sexuel. J'aurais très bien pu confondre cet acte de soulagement avec un acte sexuel d'amour, j'aurais très bien pu être perverti.

Combien de prisonniers l'ont été ?

... Les détenus sont nourris d'actes de violence si constants et appuyés, si profonds et acharnés, qu'ils en viennent à éprouver une sorte de méfiance automatique et défensive vis-à-vis de tous. On a dit que cette méfiance était paranoïaque. Elle vient plutôt de la conviction soigneusement inculquée qu'en viennent à avoir les détenus que toute atteinte envers eux-mêmes est de leur propre fait.

Ils finissent par commettre, presque consciemment, des actes de violence suicidaire, à la fois mentale et physique.

... *Libre arbitre.* C'est la doctrine du système judiciaire américain quand il soutient que les détenus n'ont qu'à s'en prendre à eux-mêmes pour tout le mal qu'ils peuvent endurer en prison.

Cette affirmation juridique s'insinue même dans les meilleurs esprits du pays.

Pourtant un détenu n'a pas de libre arbitre, ou du moins disons qu'il a *moins* de libre arbitre que les autres hommes. Aucun homme ne choisit jamais de se faire mal à lui-même, tant qu'il est en possession de toutes ses facultés — et surtout s'il dispose de son « libre arbitre ». Même si je me saisis d'un policier qui m'a envoyé au mitard avec la bénédiction de la magistrature, parce qu'il me déplaît et que je veux qu'il me laisse tranquille, et que je le lui dis, est-ce qu'il doit être blâmé pour quelque chose que *je* lui ai fait ?

Mais oui. Il n'a pas son « libre arbitre » — il est un *instrument impersonnel de l'État !* C'est le cheminement que suit la logique tordue de la justice américaine.

Je n'ai jamais vu de maton indifférent. J'en ai vu de paresseux ou d'insensibles, mais jamais d'objectifs et d'indifférents. Les paresseux sont comme des rois magnanimes qui passent négligemment sur les « affronts » et décrètent arbitrairement les « bienfaits ». Mais tout d'un coup ils peuvent très bien se dresser pleins de colère et envoyer tout le monde au diable.

Toujours, *toujours,* le gardien de prison est un tyran, et les prisonniers sont ses sujets.

Est-ce là le gouvernement fondé par des hommes libres ?

... A San Quentin — et dans beaucoup d'autres prisons — si un gardien en faction contre une rambarde ou en haut d'un mirador vous voit *toucher* un autre détenu, il vous *abat* avec son fusil. S'il vous voit *courir* dans la cour, il vous *abat.* Alors, des « balles perdues » frappent *toujours* d'autres détenus.

Si des gardiens viennent dans votre cellule pour la fouiller et qu'avant qu'ils soient entrés vous esquissiez le moindre mouvement vers la cuve d'aisances, vous *serez* abattu dans votre cellule. Ils ont « peur » que vous fassiez disparaître des objets entrés clandestinement.

C'est pourquoi San Quentin a le meilleur hôpital de traumatologie en Amérique. Même les médecins *militaires* viennent s'y former.

Alors, bon Dieu de merde, vous allez me dire qui doit être soumis à tout ça pour que *la justice passe ?*

... Un directeur de prison ou un gardien — toute autorité d'une maison d'arrêt, ou d'une prison — déteste une chose par-dessus tout, c'est le détenu « arrogant ». Il y a une façon pour un détenu de *marcher;* juste de *passer devant quelqu'un,* qui constitue un défi pour un maton. Un détenu peut faire à un maton l'injure suprême en se tenant debout et en répondant au maton sans que vous puissiez mettre le doigt sur ce qu'il a dit ou fait de répréhensible. Il y a une façon de les *regarder* qu'ils interprètent comme un défi — ils vous jettent souvent au mitard pour avoir *regardé* pas comme il fallait ; ils appellent ça « fixer ».

Il ne m'est jamais arrivé, dans « la cour » d'aucun pénitencier, d'avoir attiré l'attention d'un maton (et surtout d'un directeur) sans que cela m'ait valu d'être déshabillé et fouillé *sur-le-champ*.

La violence entre maton et détenu est ouverte, nue, et beaucoup de détenus se défendent contre les matons en se battant avec leurs poings.

Je n'ai jamais vu un maton seul fouetter un détenu. Pas même deux matons ne peuvent fouetter un détenu moyen. Quand je dis « un détenu se défendre contre *les matons* », je veux dire littéralement *les* matons : au moins cinq ou six à la fois.

... Les matons disent à l'opinion qu'ils sont désavantagés. Comment cela ? Eh bien, voilà : quand ils sont engagés dans une bagarre contre un détenu, ils disent qu'ils ne peuvent appliquer que « la force nécessaire » ; ils ne peuvent lui « casser la gueule » — parce que, voyez-vous, la loi l'interdit. Alors qu'un prisonnier n'est retenu par rien de tel.

Pas une fois dans l'histoire judiciaire de ce pays la « loi » n'a interdit de battre un détenu au cours d'une bagarre — par « battre » je veux dire battre *à mort. Jamais.* La loi interdit *effectivement* l'usage méthodique de la torture et des punitions corporelles. Comment peut-on *prouver* que de telles pratiques existent si seuls des *détenus* en sont témoins ?

Il n'y a dans ce pays personne qui puisse me citer un seul exemple où une plainte déposée par un détenu pour punition cruelle et anormale ait *jamais* été admise, soit par les autorités en général, soit par le régime pénitentiaire. Cela n'est *jamais* arrivé.

Alors dites-moi : pourquoi personne ne *croit* la parole d'un détenu plutôt que celle des autorités pénitentiaires ?

J'aimerais le savoir, parce que, absolument chaque fois qu'un détenu a eu la chance de formuler sa plainte devant un tribunal — dans un de ces procès de défense des droits civiques — on lui a toujours donné raison. Dans chaque cas, il a été prouvé que le détenu avait dit la vérité.

Jamais, pas une seule fois, on n'a prouvé dans un tribunal qu'un prisonnier avait *menti* en se plaignant d'avoir subi une punition cruelle et anormale. Je crois qu'il y a dans ce pays un nombre excessif de gens qui tirent *fierté* — ouvertement ou secrètement — de ce que leur gouvernement soit si inhumain, si diabolique, qui tirent fierté de ce que leur gouvernement écrase méthodiquement les hommes qu'il considère comme des ennemis (« ennemis publics »).

Et ceux qui n'éprouvent pas ce genre de fierté pour leur gouvernement se contentent de regarder avec mépris les autres. Et ne font rien de plus.

... Un ex-flic a été envoyé en prison. Il avait arrêté quelqu'un que je connaïssais. C'était un de ces cognes belliqueux typiques. Il devait avoir dans les trente-cinq ans. Un type l'aborda dans la cour et lui dit ce qu'il savait de lui. Le flic le supplia de ne rien dire. Le type accepta. Il s'arrangea pour qu'il soit en dette avec des détenus que je connaissais. Quand le flic n'eut plus d'argent pour les payer, il reprit la dette. Cela voulait dire qu'il avait acheté le flic. Le flic resta là planté, les yeux écarquillés, chiant dans son froc. Plus tard, celui qui l'avait acheté et quelques autres étaient en train de me parler dans le couloir quand le flic passa près de nous. Celui à qui il devait la dette l'appela, se contenta de le regarder et lui dit : « Je viens de revendre ta dette. Tu ne me dois rien. C'est à lui que tu dois. »

Il désigna cet homme, qui le promena partout, en lui faisant obtenir des marchandises à crédit d'une douzaine d'autres détenus. Le flic se tua quelques jours plus tard. Pour on ne sait quelle raison, il n'avait pas voulu demander une protection officielle. C'était ce que les autres voulaient qu'il fasse. Ils ne voulaient pas le tuer.

Le flic était un salaud de flic typique qu'on aurait pu

prendre pour le motard de la police routière de Géorgie, dans la publicité. Dehors, il utilisait la brutalité pour forcer les gens à lui donner des informations. Je crois qu'il a eu ce qu'il méritait. C'est inhabituel de voir un ex-flic dans un vrai pénitencier. Comment celui-là en était arrivé là ; je n'en suis pas encore revenu. Quelqu'un de haut placé avait dû être très monté contre lui.

Je doute qu'il y ait aujourd'hui un *seul* organe du gouvernement fédéral qui n'ait sa propre police. Évidemment, c'est peut-être *ma* façon à moi de voir les choses. Mais je connais la *mentalité* flic mille fois mieux que cette mentalité n'est capable de connaître *la mienne.*

Ils utilisent le vieux truc du fichier. Ils rassemblent et fabriquent *intentionnellement* tellement de conneries sur les citoyens — tellement de *couillonneries* « top secret » et « confidentielles » qu'ils arrivent à alarmer ces politiciens en plastique, brandisseurs de bible, qui viennent au pouvoir précédés d'une fanfare et vous baiseraient le cul pour vous prouver qu'ils sont *effrayés* par les rangées de dossiers et les piles de documents amassés sur les *gens* et les *choses.* Si tout était vrai, la moitié de la population américaine serait inculpée et si une petite partie en était *fausse,* ce seraient *eux,* les flics, qui seraient inquiétés. Donc, tout cela est caché du public.

Les policiers n'ont pas à *s'en faire* pour les élections. Ce n'est pas ainsi qu'ils obtiennent des postes. Ils se *font engager* les uns les autres. Ils font en sorte que le boulot soit si « compliqué » — avec leurs contrôles et leurs contre-contrôles, leurs codes et leurs signaux, etc. — que personne ne peut le faire à part eux. C'est eux qui mènent toutes les enquêtes les uns sur les autres, qui montent des opérations de camouflage, qui font taire, qui tuent.

... Vous dites que l'une des faiblesses de ma pièce est que je ne donne du *caractère* à personne d'autre qu'aux détenus. Vous avez parfaitement raison. Si c'est une « faiblesse », c'est la faiblesse d'un *prisonnier* qui écrit sur la prison.

Les gardiens ne sont *rien d'autre* que des « êtres glacés ». Quand ils cessent d'être des « êtres glacés », ils deviennent inévitablement *obscènes.* Et *jamais* je ne pourrais les dépeindre autrement. Pas si je veux être *vrai.* Je veux dire rapporter les faits de tous les jours, les *vôtres* comme les miens. C'était le défaut du livre de Cheever sur la prison. C'est ce qui me fait dire qu'au fond Cheever est extrêmement prétentieux. Être si *certain* de la nature de la relation essentielle entre les gardiens et leurs détenus est pure folie. C'est d'ailleurs une des choses que j'aime en vous. Vous n'avez jamais avancé de suppositions aussi tentantes *a priori.*

Les relations véritables qui existent entre eux sont dérangeantes pour un esprit paisible. Des gens comme Cheever aiment à se persuader que les gardiens et les détenus ont des affinités. Ce qui est vraiment horrible, c'est qu'ils n'en ont aucune.

... Entre eux, les gardiens sont humains. Entre eux, les détenus sont humains. Pourtant entre ces deux groupes les relations ne sont pas humaines. Elles sont *animales.* Ce n'est que par réflexion — par réflexion subjective — qu'ils reconnaissent partager une conscience commune. Qu'est-ce que cette conscience commune ? C'est la conscience que nous appartenons à une *espèce vivante commune.* Mais ce n'est pas la conscience de la société ; elle n'est pas humaniste, elle est *animale.*

Ce que je veux dire, c'est que le prisonnier est plus proche de l'humain que le gardien : parce qu'il est *dépossédé* par le gardien. C'est pourquoi je dis que le mal existe — pas chez le détenu, mais chez le gardien.

Les intentions ne jouent qu'un rôle illusoire. *En fait,* le gardien c'est le mal. Sa *compagnie* est *démoniaque.* Je m'en fiche qu'il aime la même nourriture que moi ou la même musique — ou n'importe quoi d'autre. C'est la fonction illusoire des intentions. Les animaux peuvent aimer la même musique ou la même nourriture que nous.

Nos actions nous définissent.

Entre eux, les matons sont démoniaques au point d'en être lassants. Je les ai vus entre eux, je les ai entendus parler. Ils sont extrêmement vénaux. Dépourvus de la moindre trace de spiritualité. Leur lourdeur d'esprit est proche de l'infirmité. C'est quelque chose de fasciste. Le symbole même de l'injustice. Cela paraît être une ironie, mais cela ne l'est pas : ce ne sont pas *les détenus qui font des gardiens ce qu'ils sont*. Ni la société en général. L'État, oui. Il leur donne un pouvoir *arbitraire* sur les prisonniers. Et ils l'adoptent comme un *mode de vie*. C'est la source de leur esprit démoniaque.

C'est beaucoup plus difficile, en quelque sorte plus moral, pour un détenu de blesser ou de tuer un gardien que pour un gardien de blesser ou de tuer un détenu. Avec les conséquences que cela entraîne. Pour un détenu elles sont d'une cruauté diabolique ; le gardien, lui, reçoit une médaille !

Je sais par expérience que l'injustice peut être la *seule* (sinon la *principale*) cause de folie derrière les barreaux. Vous seriez surpris d'apprendre ce qu'une dose de bonne vieille oppression peut faire sur un individu.

Voilà la vision qu'en a l'homme moyen. Il découvre des exceptions, et plutôt que de reconnaître que ces exceptions prouvent la règle, il intervertit les extrêmes, et se dit que *l'exception est le mal* et non la règle, qu'au fond les gardiens sont comme tout le monde, bien qu'il y en ait *quelques-uns* de cruels et de démoniaques.

Ce n'est pas vrai. La guerre formelle, temporelle (le phénomène) reflète une vérité historique plus profonde. Et cette vérité c'est qu'il *existe* effectivement, dans la société humaine, un ennemi impitoyable qui a besoin d'être extirpé et ne pourra jamais se réconcilier avec la société des hommes : la mentalité flic.

A travers le monde et à travers l'Histoire, toutes les sociétes humaines ont reconnu ce phénomène dans la conscience primitive (religieuse) de l'inhumanité de l'homme envers l'homme.

Est-ce que vous pressentez un sentiment d'humanité commune dans quelqu'un comme Hitler ? ou Himmler ? Si oui, vous vous abusez. Ce ne sont pas de « bons pères de famille » dans le privé. Ce ne sont pas des « hommes comme les autres » dans *aucun* aspect de leur existence avec les autres. Leur révolution a été une révolution de policiers. Une *révolution gouvernementale.*

C'est une vérité dure à avaler.

Quand Marx dit que le capitaliste *est* l'incarnation vivante du capital, c'est ce qu'il veut dire. Nous sommes ce que nous faisons et nos pensées reflètent nos actions. Les idéalistes — comme Hegel — défendent le point de vue contraire : l'homme officiel est un citoyen de l'État. Le citoyen ultime est le Policier.

Je ne dis pas qu'il en a toujours été ainsi dans la société humaine et qu'il en sera toujours ainsi dans la société humaine. Le *Mal* est apparu au début de l'Histoire et vient maintenant d'apparaître pleinement aux yeux de tous. Vous pouvez le regarder, le toucher — lui parler. C'est à nous de le supprimer. Toutes les religions témoignent de ce combat avec le mal.

Toutes ces idées sont sous-jacentes aux intentions conscientes du révolutionnaire communiste. Elles ne sont pas au premier plan dans son esprit parce que sa tâche n'est pas perçue comme religieuse, mais économique, politique.

Il n'a pas le temps, il ne peut s'offrir le luxe d'approfondir la signification religieuse *maintenant.*

Mais moi, qui suis en prison depuis si longtemps, j'ai

trouvé le temps. Et je peux dire que c'est aveuglément que l'on compare le mouvement communiste à un mouvement religieux.

... Si j'écrivais sur la « vie familiale » d'un gardien, ce serait une étude sur la domination des femmes et des enfants. Leurs femmes et leurs enfants ne les *aiment* pas ; ils les vénèrent.

La seule fois où ils paraissent humains c'est quand vous leur pointez un couteau sous la gorge. A l'instant où vous l'enlevez, ils retombent dans l'animalité. L'obscénité.

Vous pensez que je ne vois « qu'un aspect » d'eux ? Ils ont un « bon côté », mais, je l'ai dit, c'est *seulement* quand il y a un couteau sous leur gorge. *Ils obéissent à la violence.* Ils lui obéissent dans leur cœur, comme font les animaux.

Un détenu, non.

Un détenu se révolte même quand il a le couteau sous la gorge. C'est pourquoi à ce moment-là il est un détenu. Cela fait partie de la définition du détenu aujourd'hui. Il ne peut être soumis. Seulement assassiné.

C'est vrai même malgré lui.

Ceux qui ne sont ni gardiens ni prisonniers sont cependant soit des opprimés, soit des oppresseurs. Il n'y a pas de vrai mélange de ces deux termes. Il y a toujours une contradiction de principe.

Il existe une « zone d'ombre » habitée par la plupart des gens dans les sociétés industrielles européennes. C'est comme les branchages secs qui entourent un feu ; il va s'étendre et les consumer. Tout dans le monde est voué à la flamme, quels que soient nos souhaits.

Quand ils arriveront précédés de bruits de bottes et enfonceront votre porte, cette « zone d'ombre » de votre existence ne sera plus. Vous rejoindrez nos luttes malgré vous.

Dans la « zone d'ombre » on se berce d'illusions, on se

dit que le conflit peut se résoudre pacifiquement, ou qu'il n'est pas *réel.*

Vous pouvez appeler cela « paresse » — d'autres disent « faire-aller » ou « apathie ». Si vous étiez pris dans l'œil d'un ouragan, vous pourriez peut-être regarder à des kilomètres de distance un paysage de campagne paisible. Vous sauriez que l'ouragan *est prêt* à retourner complètement ce paysage bucolique. Vous le sauriez avec certitude. Vous sauriez que cela va *être ainsi.* Quelqu'un dans la campagne l'a peut-être oublié.

C'est ainsi que je sais qu'une grande conflagration va venir qui bouleversera le monde entier. Et il est temps de combattre nos ennemis et de ne pas nous persuader sottement qu'ils ne sont pas *réellement* nos ennemis. Il est temps de rejoindre la conflagration pour nous assurer que nos ennemis ne vaincront pas. Les pays industriels y entreront avec la rapidité d'un déclic de va-et-vient. Mais les autres pays du monde y sont *déjà.* Ils brûlent et le feu s'étend. Il va consumer le monde.

Il est inutile de prétendre que nos vies ne finiront pas par culminer dans une révolution mondiale.

C'est comme cela que je vois les choses. C'est comme cela que je vois demain. Je voudrais bien que ce soit différent, mais rien ne peut m'en convaincre.

Il y a des directeurs de prison et des gardiens dans ma vie, pour qui la seule idée que je doive leur pardonner est insensée. L'idée de rétribution personnelle est une des conditions de base pour une révolution. Appelez cela vengeance si vous voulez.

Un directeur de prison, un président Nixon, un Hitler, ne seront jamais l'un de nous. L'Histoire, et non le cœur humain, le veut ainsi.

Nous ne pourrions jamais vivre côte à côte avec de tels monstres, le jour après la révolution, sur un pied d'égalité.

C'est trop demander. Ils doivent payer. Parce que nous ne sommes pas des machines. Parce que nous ne sommes pas des machines, nous ne pouvons attendre si longtemps les prétendus « développements économiques des conditions objectives » ou le « déclin » de la bourgeoisie.

Il y aura un « jour après la révolution ».

Les détenus

Pénétrer dans les nouvelles divisions de haute sécurité est exactement comme entrer dans une pièce bordée de cages d'animaux. Chaque prisonnier peut parfaitement voir les autres dans leurs cellules.

Toute la journée, on entend disputes et menaces hurlées d'un bout à l'autre de cet endroit, qui ne diffère guère d'une ménagerie ou d'un zoo.

Selon sa volonté, un prisonnier peut vous accabler d'insultes et de menaces n'importe quand, et vous n'avez aucune chance de le réduire au silence. Vous devez donc faire attention à ne pas voir une de ces lopettes avancer obscènement la bouche vers vous (parfois pendant des semaines).

Vous devez donc être amical et « converser » avec lui sur n'importe quel sujet à la con qu'il choisit. C'est celui qui gueule le plus fort le plus longtemps qui domine la situation. C'est la seule situation que je connaisse où un crétin prêt à détaler de peur peut s'imposer *directement* à d'autres hommes.

La bassesse de tels hommes n'est jamais plus visible que là. Ce n'est pas qu'il y en ait tellement, mais ils dominent les relations entre hommes en cage.

Toute la journée, du café du matin jusqu'au dîner, vers quatre ou cinq heures, le temps est morcelé par les gardiens, et les portes de chaque cellule de condamné à mort sont ouvertes sur la coursive, une à la fois. A ce moment-là vous pouvez vous doucher, balayer votre cellule et arpenter la coursive en passant devant les cellules des autres.

Jonathan est exigeant comme un enfant. Il passe la main dans votre cellule et vous réveille d'une secousse pour vous parler avec excitation d'un épisode du *Justicier Solitaire* ou quelque chose d'approchant. Rien de ce que vous pouvez lui dire ne le fera vous lâcher. Puis c'est Thomas qui sort. Il traîne autour de votre cellule, souriant d'un air « entendu » et son regard se promène alternativement de votre bas-ventre à vos yeux. Il vous apporte ses cigarettes et ses bonbons juste pour entamer une conversation. Il vous demande bien poliment de lui sortir votre sexe à travers les barreaux. Il ne se laisse pas décourager. Il vous traque, et vous ne pouvez rien faire d'autre que d'essayer de l'ignorer. Vous ne pouvez pas l'attraper et lui frotter les dents ; vous ne pouvez atteindre personne. Stephen n'est pas comme ça ; il est introverti. Joseph fait les cent pas et se cogne partout. Vous essayez de lire, et vous vous apercevez que vous êtes en train de lire le même paragraphe depuis des heures. Le niveau de bruit est élevé. Vous ne pouvez penser ni vous concentrer.

Le plus que vous arriviez à faire pour vous adapter, c'est de vous *forcer* à dormir toute la journée à travers la plupart des perturbations. Après chaque repas vous vous mettez en boule, tirez les couvertures sur votre tête, mettez votre oreiller sur vos oreilles, et vous dormez. C'est un sommeil de drogué. Une fois, pendant trois ans à peu près, j'ai dormi comme ça seize heures par jour.

Quand les lumières s'éteignent, vous êtes étendu là, et le soulagement ne vient qu'entre minuit et le petit déjeuner. Vous restez éveillé toute la nuit pour apprécier cet intense soulagement. Le bruit qui faisait littéralement vibrer votre cerveau est parti. Les distractions disparaissent. Les visages de cinglés ne sont plus devant votre cellule. Vous êtes à nouveau avec vous-même. Du moins, jusqu'à l'aube.

Mais vous ne pouvez pas lire, vous ne pouvez pas écrire. Vous ne pouvez pas écouter la radio. Tout ce que vous entendez c'est les matons qui font leurs rondes. Vous entendez des clefs, des chaînes, les chiens qu'ils amènent pour compter les détenus. Vous entendez le bruit que font les taulards en dormant. Toutes les nuits il y en a au moins un qui pousse des hurlements dans son sommeil. Vous passez la nuit à penser, à vous souvenir de votre vie. Vous remontez jusqu'à vos souvenirs les plus lointains, votre premier souvenir d'enfant, et arrivez jusqu'à aujourd'hui. A force de vous masturber vous avez complètement perdu tout intérêt pour le sexe depuis des mois (des années ?). Vous avez des tas de fantasmes. Vous pensez à votre avenir, un avenir que *vous savez* ne jamais devoir exister ?

Ce n'est pas une façon d'*exister,* encore moins de *vivre.* Vous êtes épuisé de penser quand vient l'aube, et le café. Vous mangez et vous sombrez dans le sommeil. La porte de votre cellule s'ouvre avec un *bang* sonore avant que vous ayez pu le prévoir. Vous sortez du lit en *titubant,* et vous vous douchez dans un demi-sommeil. Vous retombez sur le lit. A peine êtes-vous endormi que l'on vous sert le déjeuner. Vous le picorez, à demi endormi. Finalement vous dites aux autres, sans mâcher les mots, de ne pas s'approcher de votre cellule et de ne pas vous parler. Vous menacez de leur jeter une tasse d'urine, en sachant bien que vous vous exposez à ce qu'ils en fassent autant. Si vous avez de la chance, leurs intrusions dans votre territoire se limiteront à un minimum. Mais vous ne pouvez pas les arrêter complètement. La tension enserre votre cerveau comme un étau.

Vivre « en paix » dans de telles conditions peut vous changer en un de ces damnés qui feraient n'importe quoi pour vivre, pour exister biologiquement.

Si vous aimez trop la vie ou craignez trop la violence, ce n'est qu'une question de temps pour que vous deveniez une chose et cessiez d'être un homme. Vous pouvez finir par trotter dans tous les sens comme un rongeur, et vous prêter à n'importe quel acte bas, vil et dégradant imaginable que n'importe qui — maton ou taulard — vous demandera de commettre.

Chaque homme a une frontière. Il peut ravaler ses paroles et faire le lèche-cul dans une certaine mesure. Il peut laisser de côté l'homme et devenir un bon « acteur ».

Mais quand un homme dépasse la dernière frontière essentielle, il modifie son ontologie, pour ainsi dire. C'est comme le gravillon qui déclenche un glissement de terrain que personne ne peut arrêter. Vous pouvez tromper les matons jusqu'à ce que, hélas ! vous en arriviez à vous tromper vous-même. Vous voulez tellement survivre, vous voulez à ce point être libéré de la violence, que vous feriez littéralement n'importe quoi après avoir posé un pied de l'autre côté de cette frontière. Vous laisseriez *n'importe qui* vous faire tourner en bourrique. Vous laisseriez votre vieille, votre femme, vos gosses, mourir juste pour rester en vie, vous. Vous vous vautreriez dans le caniveau de l'âme humaine pour vivre. Vous suceriez toutes les bites de la prison pour vous « en tirer ». Il n'y a rien qui vous arrêterait.

La plupart des détenus ne dépassent pas cette limite. Ceux qui la dépassent ne reviennent jamais. Vous acceptez la violence, vous la commettez pour survivre *moralement* aussi bien que biologiquement. Vous n'êtes pas un « parano », un tueur. Cela ne veut pas dire que vous n'allez pas tuer ou commettre des actes de violence à vous glacer le sang. Il vous est difficile de vous amener à les commettre, mais vous prenez bien votre respiration, vous pensez bien ce que vous devez faire, et vous le faites même si vous avez le corps raide de peur et l'estomac au bord des lèvres.

... Nous avons vécu, moi et mes compagnons de détention, selon un code difficile, mais c'était un code de survie. De survie de la dignité et de la raison. Si nous ne l'avions pas eu, nous serions vraiment complètement brisés.

La seule chose qu'un détenu respecte chez un autre, c'est la force morale. C'est tout ce qu'il faut pour tuer un homme. Je ne crains ni ne respecte aucun homme pour sa capacité à faire du mal à autrui, et il en va ainsi de tous les détenus.

Mais en prison il y a beaucoup d'hommes brisés. Je les ai vus se recroqueviller à l'approche d'un maton. Je les ai vus s'effondrer et bégayer tellement, qu'ils ne pouvaient parler. Je les ai vus passer d'un jour à l'autre existant entièrement sur le besoin, chaque jour satisfait, de constante copulation orale. Ceux-là sont ceux qui sont si amoindris et brisés par la violence des choses qu'il n'y a aucun acte qu'ils ne commettraient sauf s'il implique la violence. S'ils n'avaient pas peur de la violence, ils n'auraient pas perdu leur humanité.

... Le « code de fonctionnement » du détenu est au fond de l'emporter sur l'homme, le maton. Faire ce qu'il peut pour purger sa peine et sortir de prison. Il y a des choses qu'il ne peut pas faire s'il veut rester un homme (un taulard). A ce stade, il se rebelle. Il n'a pas d'« idéologie révolutionnaire », c'est vrai. Mais il va peut-être finir par me rencontrer au mitard et je lui dirai des choses qui éclairciront ses idées confuses et donneront une cause à sa rébellion. C'est ce qui se passe partout dans le pays maintenant. C'est une nouvelle race de taulards. Et quand il se rebelle seul, si je le vois affronter une escouade de matons dans la cour ou au mitard, je n'hésiterai jamais à plonger. Nous sommes tous des frères. Son combat est le mien. Si je paie le prix fort pour l'avoir aidé et que plus tard il se dégonfle, cela ne me gêne pas, *moi*. J'ai fait ce qui était juste et je n'ai pas de rancune envers lui. Nous ne pouvons compter que les uns sur les autres, j'ai appris cela il y a longtemps.

... Le meurtre d'un maton en prison est bien plus grave que l'assassinat d'un président des États-Unis. Alors, vous avez au moins l'espoir d'avoir accès à la cour de promenade. Mais celui qui tue un surveillant ne sort jamais plus dans la cour. Il n'est jamais relâché du mitard.

J'avais un ami que nous appelions Striker. Il avait tué un gardien devant tout le monde. Il l'avait tué en plein dans la galerie principale du plus grand bâtiment de la prison.

Un ensemble de choses avait conspiré à l'amener à tuer. D'abord, il était en prison depuis vingt-trois ans consécutifs. Pourtant, il n'avait que quarante ans. Le jour précédent, sa mère était morte ; elle s'était comme on dit « éteinte » doucement dans le sommeil de la vieillesse. C'était tout ce qu'il avait en dehors de la prison.

Striker était un joueur de poker médiocre. Il jouait au poker dans la galerie principale avec quelques autres. Un nouveau maton passa à côté d'eux, s'arrêta et leur ordonna de cesser de jouer. Le poker est contraire au règlement, mais les matons laissent faire tant qu'ils voient que tous les joueurs sont des types « réguliers », c'est-à-dire tant qu'il n'y a pas de détenus « faibles » assis autour de la table. Le nouveau gardien ignorait cela. Striker avait bu du pruno, dans ces cas-là il devient *toujours* agressif. Il discuta avec le maton, mais celui-ci insista et menaça de le jeter au mitard. Striker essaya de décider d'autres joueurs à continuer à jouer pour tenir tête au maton, mais comme il était le seul perdant, ils arrêtèrent de jouer.

Quelqu'un demanda à Striker pourquoi il ne tuait pas le maton s'il était si furieux. L'homme plaisantait à moitié, mais Striker sauta sur l'idée et jura qu'il tuerait le maton, sauf qu'il n'avait pas de couteau.

Le détenu, plus pour se débarrasser de Striker qui commençait à lui courir sur le mou, lui donna un couteau. Il faisait trente-cinq centimètres environ, c'était une arme à double tranchant qui donnait froid dans le dos.

Le maton se tenait debout dans la galerie avec un autre maton, au milieu de la foule des détenus qui allaient et venaient. Striker s'arrêta à sa hauteur et planta environ vingt-cinq centimètres de la lame dans son ventre, et l'étripa. L'autre maton se retourna comme une toupie pour lui faire face et reçut plusieurs coups à l'estomac en reculant pour essayer de fuir. Alors Striker revint sur l'autre maton et le poignarda à nouveau plusieurs fois, profondément, dans la poitrine.

Le maton était maintenant allongé sur le dos, saignant comme un bœuf. Tout le monde restait figé à le regarder. Striker savait ce qu'il avait fait et lança autour de lui un regard affolé qui appelait à l'aide, puis il sourit. Il tomba à genoux et commença à parler au gardien mourant.

Il plongea le couteau en plein dans sa poitrine et lui dit « Alors, tu aimes ça ? » en tordant la lame. Puis il la retira et commença à couper la tête du gardien.

Il y eut bientôt cinquante surveillants autour de lui. Alors, Striker fit ce qu'on lui dit, lâcha le couteau et tourna les talons, suivi des matons qui l'escortèrent jusqu'au mitard. Ils étaient tous en état de choc, encore plus que Striker.

Striker fut condamné à vie et fut transféré au mitard d'un autre pénitencier de haute sécurité.

Peu de temps après, en pleine nuit, on le trouva pendu dans sa cellule. On a dit que les matons l'avaient lynché, mais Striker m'avait dit qu'il devrait se tuer, et s'il avait pu pleurer, il aurait pleuré en me disant cela. Parce que je lui ai dit que j'étais d'accord avec lui. La pitié est parfois la chose la plus dure au monde, parce que la vraie pitié demande un acte d'expiation personnel. Il était suffisamment irréfléchi pour avoir fait cela : tuer un maton de façon telle à être pris sur le fait.

Il y eut un autre acte de pitié dont je fus complice. Il y

avait un détenu de cinquante-cinq ans environ. Appelons-le X. Il avait eu une série de crises cardiaques, et la dernière l'avait laissé totalement paralysé à l'exception d'une paupière. Il purgeait une peine de détention à perpétuité.

J'étais avec un autre type quand il alla à l'infirmerie voir son ami X. C'est alors qu'il demanda à X de battre sa paupière une fois pour dire oui et deux fois pour dire non. Ils communiquèrent ainsi pendant un moment et je ne prêtais guère attention à ce qui transpirait de leur échange.

Le type demanda à X s'il voulait que lui, son ami, le tue, pour mettre fin à sa misère puisqu'il ne pouvait plus prendre soin de lui-même en prison. Je fixai mon attention sur eux.

Je regardai le visage d'X. Il était figé comme la pierre, comme un masque mortuaire. Nous restâmes un long moment à observer ses yeux. Finalement je détournai les yeux de X un instant, puis je le regardai à nouveau. Son œil était fermé. Puis il se rouvrit rapidement ; je guettai attentivement, avec une grande excitation, l'autre battement de paupière qui signifierait non. Je ne savais pas si c'était le deuxième battement de paupière ou le premier. En tout cas c'était le dernier pour moi ; il continua juste, comme toujours, à fixer le plafond comme si c'était un grand écran sur lequel on projetait des visions d'enfer. Il ne cligna plus de l'œil et nous partîmes. Je ne dis rien à l'autre. Généralement il parlait beaucoup, mais après cela il ne parla que quand il avait quelque chose à dire parce qu'il arriva que X fut étouffé dans son lit avec son oreiller. Ce fut en gros ce qui ressortit du rapport du médecin légiste.

Son ami l'avait tué par pitié malgré le risque que cela comportait. Une fois, je lui demandai s'il avait tué X et il me regarda durement dans les yeux, posa sur moi un regard glacé et dit « oui » d'une voix froide. Ce fut tout. Il s'éloigna.

Je me demande si le destin de l'homme qui a tendu le couteau à Striker et celui de l'homme qui a tué X sont, d'une manière ou d'une autre, liés à ceux de Striker et de X.

Depuis, je me souviens les avoir aperçus de temps à autre à une certaine distance. Quelque chose dans leur attitude indique un effort conscient de ne jamais vaciller, de ne jamais avoir de doutes sur ce qu'ils font. Il n'est pas facile pour un homme de tuer son frère.

Certains disent que c'est être « déraisonnable », mais ils n'arrivent pas à comprendre que le passé n'est jamais mort, jamais complètement révolu. Ce qui arrive dans le passé c'est l'avenir, et le passé n'est donc pas statique, figé. La réalité de l'homme est ainsi. Les événements et les décisions d'une histoire personnelle entrent et sortent du champ de vision, prennent des significations nouvelles, comme la personne elle-même. Pour cette raison, il n'existe pas de bien ou de mal *personnel* absolu.

Parfois ils s'arrêtent à côté de moi et regardent toujours n'importe quoi sauf moi quand ils disent pour me saluer : « Comment ça va, Jack ? » Peut-être une fois par an à peu près.

Ce n'est qu'après avoir dit cela qu'ils tournent leurs visages vers moi et amènent leur regard au niveau du mien. Dans le blanc des yeux, je suis examiné avec soin. Puis le regard s'adoucit, ils y mettent de l'amitié et disent, avec de l'intérêt sincère : « Est-ce que tout va bien ? »

Parfois je fais juste signe de la tête ou je dis : « Ouais ». Puis ils détournent les yeux et s'en vont. C'est comme s'ils ne faisaient que vérifier si le passé a changé, ou de combien, par rapport à la dernière fois. J'essaie de ne pas trop changer.

... Il n'y a plus de « camaraderie » entre les détenus en général ; il y a un système, un réseau de liens entre toutes les bandes et c'est cela qui ressemble à de la « camaraderie ». La plupart des détenus craignent pratiquement *tous* les autres détenus qu'ils côtoient.

... Depuis que je suis en prison (les maisons d'arrêt, c'est différent) on peut compter sur les doigts d'une main les combats que j'y ai vus. On ne voit *jamais* la violence ouvertement et il y a toujours un couteau ou un morceau de tuyau (dernièrement ici ils utilisaient l'essence — on arrose l'ennemi et on lui met le feu). Évidemment ceci ne concerne que la violence détenu contre détenu.

... En tant que spectacle, c'est un art qui emprunte à la fois à l'autodafé et au drame. La civilisation barbare l'a d'abord inventé de manière à faire du châtiment un sport-spectacle et il a trouvé sa pleine expression dans les combats de gladiateurs. Puis l'émergence de l'État-nation l'a supprimé et il n'y avait plus place dans la société pour de tels actes de *barbarie.* Vous voyez bien que la corrida n'est nullement un sport. Le matador ne la considère pas ainsi, à moins de ne pas savoir exactement ce qu'il fait. Le torero la traite comme une forme d'art, presque comme l'acteur professionnel traite le drame.

Dans la corrida un homme risque sa vie pour tuer, mais ce n'est pas tout : s'il ne s'en acquitte pas avec honneur, il *perd;* le taureau l'emportera et le torero sera tué ou blessé.

La situation dans l'arène exige une très grande maîtrise. Le torero doit *tourmenter* le taureau pour faire ressortir ses qualités de combattant et les renforcer encore. La situation est telle qu'il est *plus facile* à un torero de tuer un taureau *courageux* qu'un taureau peureux. Si le taureau est peureux, ce n'est pas un *combat,* c'est un massacre, et le matador se déshonore lui-même en s'abaissant à jouer le rôle d'un *boucher.*

La corrida n'est pas un *sport* parce qu'elle met en jeu des qualités d'esthétique et de sublimation qui conduisent les hommes à envisager les éléments *moraux* du spectacle, comme le fait le drame au théâtre.

Depuis ses origines historiques, la corrida conserve un aspect de combat de gladiateurs mais quel homme normal recherche cela ? La réponse est celle-ci : des hommes de classes sociales extrêmement pauvres, des hommes sans pouvoir, des hommes pour qui la corrida est un moyen d'atteindre des objectifs sociaux qui resteraient sinon hors de portée.

Les qualités qui se révèlent chez le taureau — bravoure, respect (et au fond, honneur), intelligence (astuce de l'animal rehaussée dans le combat par un adversaire intelligent), et d'autres encore — ces qualités sont stimulées par l'homme. Aussi, en un sens, le matador se bat à mort avec un autre homme. C'est un synonyme du combat de gladiateurs.

Un grand matador est comme un maestro génial qui sait faire ressortir l'excellence chez le plus inexpérimenté des musiciens par la seule force du talent qu'il sent en eux.

Quand le matador amène le taureau au sommet de sa grandeur, l'animal devient littéralement *ennobli* et au moment de la vérité — parce qu'idéalement à ce point précis le matador et le taureau deviennent *égaux* — le matador lui transperce le cœur.

Ce n'est pas par accident que les détenus baptisent les maisons de redressement *écoles de gladiateurs*. Là, les circonstances apprennent aux hommes *comment* s'entre-tuer. On leur apprend comme on apprend au taureau — en le *harcelant*. Quand on conduit un taureau dans l'arène, il vient directement d'un élevage. Il n'a aucune expérience de la cape, du jeu du matador, ni même d'un enclos. Pour lui c'est une expérience totalement nouvelle.

Chaque phase d'une corrida est un test. Avant que le taureau affronte le matador, il doit faire face aux *péons ;* il fonce sur eux et des lances pointues (les piques) sont plantées dans les muscles de son cou. Il ne s'enfuit pas et ne se cache pas ; il fait fi de la douleur, s'il est brave, et attaque. Puis des hommes à cheval l'entourent et le harcèlent ; il les charge, encore et encore. Sa rage est aveugle.

S'il est un bon taureau, il a passé tous les tests. Les

banderilleros, les hommes à cheval, se retirent, et le matador fait signe au taureau de s'approcher du centre de l'arène.

Avec ses gestes et les mouvements de sa cape, il attire le taureau au centre de l'arène et le taureau est manipulé jusqu'à ce que sa rage ait atteint un tel sommet qu'elle se transforme en gloire, auréolée par la silhouette du matador. Plus il est manipulé, plus il devient *sage.* Le combat a transformé la confusion en une sorte d'intelligence couronnée de bravoure. Quelle expérience pour le taureau ! Cela doit être plus intense encore qu'une expérience religieuse. Après cela, il ne pourrait jamais plus vivre comme avant. Il porterait en lui, tous les jours de sa vie, l'arène, le lieu du combat.

S'il gagne — et les chances sont presque nulles qu'il gagne —, il affrontera des matadors jusqu'à ce qu'il soit tué.

Les détenus qui ont été entraînés dans des *écoles de gladiateurs* s'exécutent avec l'honneur des martyrs — avec l'honneur du taureau dans l'arène.

La seule différence réelle est que le taureau s'enfonce dans la poussière de l'arène dans une mer de voix humaines qui crient « Bravo ! Olé ! » au milieu d'une pluie de roses parfumées qui descendent en vrilles sur lui depuis les gradins.

Le détenu meurt dans la honte au milieu d'hommes dédaigneux et méprisants.

Parfois on encourage un détenu particulièrement grand et fort à régimenter la vie des autres prisonniers. C'est le rêve traditionnel du directeur de prison type. Une hiérarchie qu'il puisse contrôler. Les détenus costauds qui croient cela sont généralement des imbéciles qui ont été amenés (comme les agneaux au sacrifice) à croire que parce qu'ils peuvent maîtriser de leurs mains la plupart des hommes, tous leur obéiront. Pour démolir ce bel échafaudage il suffit d'un petit gars avec un couteau ou n'importe quelle autre arme. Les contraintes, intérieures et extérieures, qui dominent les hommes ordinaires, n'affectent pas le détenu soucieux de se protéger.

Pour un détenu, c'est une insulte de lutter avec les mains. Si jamais quelqu'un (un autre taulard) lui porte un coup avec la main, il faut qu'il le tue au couteau. Sinon, il devra se bagarrer avec lui tous les jours. Il peut être tué.

En prison nous sommes tous polis les uns envers les autres, respectueux dans les formes. Nous sommes condamnés pour des années. Si je ne suis pas d'accord avec un type, et que j'ai tort, je lui présente sincèrement mes excuses. Mais si j'ai raison et qu'un petit couillon a tort et le sait, il faut que je me tape sa figure tous les jours. S'il a menacé de me tuer, il faudra que je le voie jour après jour pendant des années. C'est ce qui amène à tuer pour une raison apparemment futile. *En prison, toute la violence tend vers le meurtre,* rien d'autre. Vous ne pouvez pas vous permettre de laisser courir quelqu'un qui nourrit des sentiments hostiles à votre égard. Il pourrait vous planter un couteau dans le corps n'importe quand.

Vous apprenez à lui « sourire ». Vous le *désarmez* avec votre gentillesse. Ainsi quand vous écumez intérieurement de rage envers quelqu'un, vous apprenez à le cacher, à sourire ou à feindre la lâcheté.

Pour planter un couteau aussi près du cœur que possible, il vous faut passer d'une inactivité totale à la plus grande mobilité. C'est aussi cela qui trouble l'âme de l'homme en prison. Le couteau est une arme intime. Très personnelle. Votre esprit est troublé parce que vous ne tuez pas en état de légitime défense physique. Vous tuez un homme de manière à vivre convenablement en prison. Légitime défense morale.

Supposons que quelqu'un vole quelque chose dans votre cellule. Vous le prenez sur le fait. Disons qu'il a volé une cartouche de cigarettes. Il vous parle insolemment. Ce qu'il faut faire ensuite, c'est devenir ami avec lui. S'il vous a pris quelque chose qui vous appartient, qui sait ce qu'il fera la prochaine fois. Il va même peut-être essayer de vous baiser si vous le laissez vous voler. Dans la société pénitentiaire, on attend de vous que vous lui plantiez un couteau dans le corps. Vous serez peut-être obligé d'arpenter la cour avec lui pendant une semaine, pour tromper sa vigilance, avant de vous trouver seul à seul et de le tuer.

Voilà comment ça se passe : vous êtes tous les deux seuls dans sa cellule. Vous avez tiré un couteau (lame de vingt à vingt-cinq centimètres, double tranchant). Vous le tenez le long de la jambe pour qu'il ne le voie pas. L'ennemi sourit et bavarde de choses et d'autres. Vous voyez ses yeux : bleu-vert, liquides. Il pense qu'il vous a eu ; il vous fait confiance. Vous voyez l'endroit. C'est une cible entre le deuxième et le troisième bouton de sa chemise. Tout en parlant et en souriant calmement, vous déplacez votre pied gauche sur le côté pour vous approcher du côté droit de son corps. Un léger pivotement vers lui avec l'épaule droite et le monde bascule : vous avez plongé le couteau jusqu'à la garde au milieu de sa poitrine. Lentement, il commence à se débattre pour sa vie. Tandis qu'il ploie les genoux, il vous faut le tuer vite ou être pris. Il dira : « Pourquoi ? » ou « Non ! » Rien d'autre. Vous sentez sa vie trembler dans le couteau qui est dans votre main. Elle vous submerge presque, la douceur de cette sensation en plein dans ce brutal acte meurtrier. Vous avez plongé la lame plusieurs fois sans même vous en rendre compte. Vous accompagnez l'homme dans sa chute pour le finir. C'est comme de couper dans du beurre mou, aucune résistance. Ils murmurent toujours une chose à la fin : « S'il te plaît. » Vous avez l'impression étrange qu'il ne vous implore pas de ne pas lui faire du mal, mais qu'il vous demande de le faire proprement. S'il dit votre nom, cela amoindrit votre résolution. Vous entrez dans une sorte de stupeur mécanique. Les choses s'enregistrent au ralenti, parce que tous vos sens sont exaltés. Vous le laissez dans le sang, avec ses yeux morts qui fixent droit devant lui. Vous

vous déshabillez dans votre cellule et détruisez vos vêtements en les faisant disparaître dans la chasse d'eau. Vous jetez le couteau. Vous sautez dans la douche. Vos idées redeviennent claires. Il n'y a pas de doute, vous avez fait la seule chose possible. La plupart des réguliers savent que vous l'avez tué. Personne ne pose de questions. Mais quand vous rencontrez un autre détenu, il va vous serrer dans ses bras, vous donner une tape sur l'épaule ou rire. Vous n'avez fait que liquider une ordure que tous détestaient. On ne fait même pas d'enquête sur ce genre de meurtre dans les grandes prisons. A..., quand j'y étais, on a trouvé entre trente et quarante types poignardés. Il n'y eut qu'une arrestation, et c'est parce que l'assassin s'était rendu et avait plaidé coupable.

Je ne suis pas écrivain de métier, aussi il m'est difficile d'écrire ces lignes sans avoir l'air d'un voyou sans pitié et sans imagination. Mais vous avez envie de vous arrêter en pleine action, de le serrer aussi fort que possible pour forcer sa vie à retourner dans son corps, et le sauver. Mais vous ne pouvez faire demi-tour en pleine action. C'est la déraison de la violence, cette fois en faveur de la vie, qui essaie de vous arrêter dans l'accomplissement de l'acte — la même force qui vous a poussé à le commettre.

... Je vous dis que *j'y étais*. Et j'ai vu ça assez souvent pour savoir que c'est *banal*. Il aurait pu se protéger. Non seulement ça, je l'ai vu *bouger* et je sais qu'il aurait pu se défendre et prendre le dessus. Celui qui l'a poignardé était un *trouillard*.

Il avait seulement été tailladé — superficiellement — en travers du ventre et à l'épaule droite. Mais son assaillant a crié un ordre : « Baisse les bras. » — et il l'a regardé d'un air ahuri et a *baissé les bras le long du corps*. Il lui a *offert* sa poitrine, il a gonflé les poumons comme pour pousser un soupir, en bombant le torse. Totalement sans défense. L'autre n'a pas traîné pour lui prendre le cœur. Il a laissé l'homme le *tuer.* Il n'a même pas essayé de *fuir* pour sauver sa vie : il la lui a *donnée.* C'est tout juste s'il n'a pas dit : « Voici ma vie, prends-la. »

... J'ai vu des hommes rester debout pétrifiés et je les ai vus faire un effort, essayer de sortir de leur *propre* passivité, au moment même où on les poignardait. Tout ça juste pour pouvoir affronter et dominer la violence qui déjà dévore leur vie.

Quand finalement ils commencent (s'ils y arrivent) à riposter, c'est toujours trop tard. Ils sont blessés à mort. Ils commencent à agiter les bras comme des pantins, à essayer de jauger leur attaquant — mais c'est trop tard. Je ne parle pas du choc de surprise, je ne parle pas de l'instant d'hésitation. Je dis qu'ils acceptent trop facilement de laisser leur mort entre les mains d'autrui. Dieu, cela devient même parfois une *acceptation consciente,* à un moment de la lutte qu'ils se livrent à eux-mêmes pour dominer leur propre passivité.

... Vous pouvez devenir si *consumé* de haine impuissante, si enragé par quelqu'un ou quelque chose en prison, que vous êtes obligé de vous *masturber* aux à-coups de la violence qui envahit votre cerveau, parce que si vous n'arrivez pas à la contenir *d'une manière ou d'une autre,* si vous relâchez un peu votre emprise sur vous-même, vous vous mettrez peut-être à parler à haute voix, très fort, et vous finirez vos jours dans une écume de cris et de rage d'où l'on ne revient pas. Vous quitterez ce monde *fou furieux.*

... Vous me rapportez cette notion que la violence est associée à la sexualité. C'est une absurdité, mais je suis d'accord dans une certaine mesure.

... C'est une contradiction absurde de la société américaine (au moins) que l'homme considère la pénétration de sa femme (ou de sa compagne) comme une consécration et une expression d'amour — et qu'il considère ensuite le *même* acte de pénétration, mais d'un autre mâle, comme l'opposé exact : une profanation et une expression du plus profond mépris. C'est à cause de cette contradiction que la sexualité est si profondément liée à la violence.

L'une des premières choses qui se passent lors d'une émeute dans une prison est que les gardiens sont dominés sexuellement et généralement sodomisés. Je ne prétends pas que je ne « comprends » pas cela ; nous comprenons tous. Je ne suis pas d'accord, pour plusieurs raisons, que ce soit « naturel » et que tous les actes d'agression sexuelle ouverte correspondent au concept de *violence,* parce que la violence est *destructrice.* Il y en a qui accomplissent ces actes par *amour.* Mais ce qui est certain, c'est que lorsqu'un homme en sodomise un autre pour exprimer son *mépris,* il n'exprime que son mépris de la femme, pas de l'homme. La plupart des hommes dans la société pensent que c'est une grande honte et un déshonneur de faire l'expérience de ce que c'est qu'être une femme. Je pense qu'une telle attitude reflète des sentiments trop tranchés.

J'ai été envoyé en prison pour la même raison que celle pour laquelle Caryl Chessman a été exécuté : l'arrogance. Le juge m'a envoyé au pénitencier principal avec le but précis de me faire violer par des prisonniers et réduire à un homosexuel — version *lopette.* Il n'y avait absolument aucune autre raison. A cette époque, il n'y avait même pas la moindre prétention de réinsérer un jour les détenus, ni d'assistants sociaux en prison. La prison était entièrement dominée par des surveillants de la vieille école. Il n'y avait pas de programme de « rééducation ».

Les cognes qui m'ont emmené à la prison m'ont même dit qu'on me conduisait pour me réduire en lopette, pour me priver de ma virilité. Ils avaient pensé que je serais moins arrogant une fois qu'on m'aurait transformé en suceur de bites.

Si j'avais peur, je n'en ai jamais été conscient. Il est certain que j'étais consumé de rage, de la colère d'avoir été profondément insulté. J'arrivai dans cet état mental et émotionnel. Vous pourriez dire que j'étais paranoïaque : déterminé à assurer ma place comme la bête sauvage est assoiffée de sang.

Les nouveaux prisonniers étaient mis en quarantaine pendant environ six semaines dans ce qu'on appelait « le quartier des bites neuves ». Quand j'arrivai, un type que je connaissais depuis la maison de redressement me glissa un couteau à désosser. Le premier prisonnier, un type de quarante-cinq ans environ, qui a essayé de me baiser, je lui ai sorti mon couteau. Je l'ai forcé à s'agenouiller et, mon couteau sous la gorge, je lui ai fait faire une fellation sur mon pénis au repos devant trois de ses copains.

C'est comme ça que ça se passe. Si vous êtes un homme, vous devez soit tuer, soit retourner l'arme contre celui qui vous fait des propositions sous la menace. C'est la *coutume* parmi les jeunes prisonniers. En agissant ainsi, vous faites savoir à tous que vous êtes un homme, malgré votre âge.

J'avais été entraîné du fait d'avoir passé ma jeunesse dans une *école de gladiateurs.* Il était inévitable alors qu'un jeune dans un pénitencier d'adultes doive à un moment donné attaquer et *tuer,* sinon il est presque certain de devenir une lope — même si cela ne se sait pas. S'il ne peut se protéger lui-même, quelqu'un d'autre le fera.

Avant d'avoir vingt et un ans, j'avais tué un détenu et blessé un autre. Je ne suis jamais sorti de prison. Je n'ai jamais été une lopette.

Pour les autorités, que quelqu'un se fasse violer en prison n'est pas quelque chose de vraiment grave. Au contraire, cette idée les excite, leur *plaît.*

En prison, si je prends une lopette, *elle est à moi,* comme un esclave, un serf. C'est la coutume que personne ne lui adresse la parole directement. Il nettoie ma cellule, lave mes vêtements et fait des commissions pour moi. Tout ce que je lui demande de faire, il doit le faire — exactement comme la femme dans certains mariages, aujourd'hui encore. Mais je peux la vendre ou la prêter, ou la donner, à tout moment. Un autre prisonnier peut me la prendre s'il peut me dominer.

... La majorité des prisonniers que j'ai connus — disons 90 % — expriment un intérêt sexuel envers les individus de leur propre sexe. J'hésite à les appeler « homosexuels » parce que la société américaine reconnaît uniquement l'homosexuel passif — celui qui joue le rôle de la femme. C'est donc la même chose en dehors de la prison ou à l'intérieur, sauf qu'en prison cette attitude est ouvertement affichée.

Vous voyez déjà combien cela dénature toutes sortes de notions et peut alimenter tout un courant de violence, à la fois physique et morale. Parce qu'aucun taulard ne respecte vraiment un homosexuel — et pourtant, comme je l'ai dit, la plupart ont eux-mêmes ce genre de désirs. C'est la même chose que dans la société humaine en dehors de la prison.

D'ailleurs, de tous les pénitenciers où j'ai été transféré, dans chacun il n'y avait tout au plus qu'une demi-douzaine d'homosexuels « reconnus » parmi les détenus.

Une fois seulement dans ma vie, j'ai vu en prison deux hommes montrer de la tendresse en s'embrassant ou en se touchant. L'homosexuel avoué joue le rôle d'une femme et est généralement la femme d'un prisonnier respecté de la division. Il lui donne la sécurité et la protection qu'il donnerait à une femme hors de la prison. Mais dans la hiérarchie du mépris, une tapette vient juste au-dessous du mouchard. Les régimes carcéraux respectent ces nuances. Et même, ils les encouragent.

Au moment de sélectionner un taureau dans les troupeaux qui occupent les prés d'un ranch, pour le conduire à l'arène, il faut prendre soin d'observer ses rapports avec les autres taureaux du troupeau. Un taureau qui montre de la gêne devant les autres taureaux, parce qu'il a des tendances homosexuelles, est déjà battu par les mâles, par les autres taureaux. Il est *passif,* bien que son apparence soit extrêmement mâle. Ce n'est pas seulement qu'il n'est pas sûr de lui, son cœur est subjugué par le mâle.

Chez les hommes, c'est la raison *principale* pour laquelle dans la guerre de position traditionnelle — particulièrement la guerre européenne classique — le soldat dont on découvre l'homosexualité est exécuté. Les homosexuels sont exemptés de la conscription, ou du moins du service d'active.

Gérard tomba à genoux devant les barreaux de ma cellule et me supplia, me supplia avec des larmes dans les yeux et le front plissé par l'anxiété :

« Je ne peux pas tenir ! Mets-le dans ma bouche ! S'il te plaît, s'il te plaît, s'il te plaît... »

Pendant ces derniers mois, il était allé à chaque cellule de l'étage et avait été le plus souvent repoussé. Quelques-uns avaient satisfait ses supplications de lui laisser faire des fellations à travers les barreaux des cellules.

J'étais surpris, pas de ce qu'il se faisait à lui-même, mais qu'il se fût adressé même à *moi.* Je deviens fatigué et même éteint — comme par l'ennui — quand je suis confronté personnellement à de telles situations. Gérard n'était pas un suceur, quoi qu'il puisse penser de lui-même.

J'avais dû secouer la tête lentement tout le temps qu'il m'implorait. Je sais qu'au moment où sa frénésie menaçait de lui faire perdre toute maîtrise de soi, je m'impatientai. Je dus lui ordonner de se lever, de ne pas rester à genoux.

Je lui dis :

— Pousse-toi ! Allez ! Pars !

Il se reprit et s'en alla.

Je l'avais connu des années auparavant ; je le connaissais quand il était sain, quand il était fort et digne.

Je le regarde maintenant et je cherche l'homme que je connaissais il y a si longtemps. Parfois j'ai une brève vision du Gérard d'avant et c'est comme s'il me donnait le change, disant : « Je veux juste voir comment ça se passe si je fais ça ; je trompe tout le monde, pour voir qui me restera loyal. »

Gérard avait un sens de l'humour subtil *avant* et on peut encore s'en apercevoir de temps en temps. Mais il ne plaisante plus, il n'essaie pas de tromper son monde.

Et cela ne fait pas si longtemps qu'il était le Gérard que je connaissais. Il y a juste quelques années ; pas plus de cinq en tout cas. Il n'est pas fou et sa résistance au régime de la prison ne s'est jamais relâchée.

On dirait presque qu'il se rebelle contre *nous* maintenant, bien qu'il n'attaquerait aucun de nous, sauf en légitime défense. Il se défendra contre nous aussi vivement que contre les matons.

J'essaie de comprendre ce fou qui n'est pas dément, mais c'est difficile.

Pourtant ce regard que je vois dans ses yeux, le regard que je pourrais prendre comme un signe de duplicité, est une chose qui me fait frémir. Il y en a qui disent qu'on peut voir des pierres tombales dans ses yeux.

Dans ses écrits, Nietzsche parle du « regard de l'éternité » mais je n'ai jamais fait beaucoup attention à cette expression, comme si c'était une de ses magnifiques envolées poétiques.

Quand je vois le visage de Gérard, cela remue mes souvenirs et cette expression me vient toujours à l'esprit : le regard de l'éternité. Le libre arbitre. La volonté de puissance de chacun, qui ne reconnaît aucune frontière, ni humaine ni divine, est ensevelie vivante. N'importe qui pourrait tuer Gérard par mesure de représailles et tous les autres protégeraient le tueur, gardien ou détenu.

Il est une de ces personnes qui réveillent tout ce qu'il y a de mauvais dans l'homme et pourtant, selon des critères *humains,* il est honnête et son intention n'est jamais de nuire.

C'est comme si le voile qui nous protège tous de nous-mêmes — comme l'un de l'autre — avait été écarté pour Gérard de manière qu'il voie la réalité de toute chose. Il ne peut être trompé, vous ne pouvez lui cacher aucun sentiment et aucune pensée. Il comprend la réalité.

C'est pourquoi un jour il sera assassiné — et il sait qu'il ne peut y échapper.

Je ne sais pas comment est survenu ce changement en lui. Il a dû être progressif. Je sais seulement qu'un jour j'ai remarqué qu'il perdait pied. Il avait l'habitude de faire le clown très souvent. Comme je l'ai dit, une des choses qui le distinguaient était sa capacité à rire de tout ; et le plus souvent de lui-même.

Il avait été si souvent au trou et hors du trou que les gardiens l'avaient mis sur la liste des « rien à en tirer ».

Pouvez-vous imaginer la moitié d'une vie enrégimentée par la prison ? Les gardiens vous arrêtent partout, à tout moment, pour vous fouiller. Votre cellule est fouillée presque tous les jours — et la moindre bricole que vous pouvez posséder, quelque chose qui n'est ni remis à tous les détenus ni expressément autorisé sur une liste pathétique d'une demi-douzaine d'objets, est confisquée, et si c'est un objet pouvant d'une manière ou d'une autre mettre en jeu la sécurité, on vous colle au mitard. On vous arrête et on vous questionne sur les raisons qui expliquent votre présence dans cette zone hors de votre cellule. Tous les jours vous êtes soumis à un million de choses de ce genre.

Puis soudain, un jour, c'est comme si vous étiez un fantôme. Aucun des gardiens ne peut vous voir. Vous allez partout, et non seulement les gardiens ne vous arrêtent pas, personne ne vous *voit.* J'ai vu Gérard escalader le mur intérieur, s'asseoir sur les rouleaux de fil de fer barbelé et saluer de la main les gardiens des miradors. Il est resté assis là une demi-heure et personne ne l'a dérangé, jusqu'à ce que finalement deux gardiens s'approchent du mur et lui demandent très poliment, absurdement, de bien vouloir descendre. Ce qu'il finit par faire, et ils le laissent déambuler n'importe où dans la confusion. Ils ne l'ont jamais jeté au mitard.

Je crois que les hommes qui prennent les choses au sérieux, qui prennent leur personne plus au sérieux que tout le reste, sont les seuls qui survivent sur la liste des « rien à en tirer ». Je suis toujours devenu plus dangereux et j'ai été rayé de la liste, bien que souvent cela m'ait paru provisoire.

... Il y a eu des moments où j'ai entamé le processus de dissolution. Les matons le sentent et font passer le mot. Ils vous mettent sur la liste des « rien à en tirer ».

Vous avez le droit de déambuler dans la prison, de faire et dire *tout* ce que vous voulez et les gardiens font comme si de rien n'était, ils vous ignorent, comme si vous n'étiez pas là. C'est seulement si vous commettez un acte de violence qu'ils tombent sur vous à bras raccourcis et vous traînent au mitard.

L'idée est de vous surveiller et d'espérer que dans votre état vous vous ferez détester des autres détenus, pour que l'un d'eux finisse par vous tuer — ou que vous traînerez ainsi assez longtemps pour tomber dans cet état de folie abrutie qui résulte du dérangement de votre adaptation à la prison. La prison devient abstraction et sort de votre existence sensorielle. Vous pouvez dire ou faire ce que vous voulez. L'endroit vous est livré, en essence.

Il m'arrivait d'entrer au réfectoire en titubant, les pieds nus dans des sandales en plastique, et aucun surveillant ne m'arrêtait. Je marchais autour des détenus faisant la queue et traînais dans la cuisine derrière les comptoirs de service, en prenant ce que je voulais. Les matons s'écartaient, me regardaient de côté et souriaient largement. Ils se donnaient des coups de coude et échangeaient des clins d'œil.

Je sortais d'un pas saccadé, un bol de nourriture dans une main, du pain dans l'autre, avec cet air de bravade agité et égaré des confins de la folie. Je brandissais ma liberté. Je traversais le corridor au pas de marche jusqu'à ma cellule, en fixant en plein dans les yeux tous les matons qui regardaient vers moi.

... Savez-vous ce qu'il y a de plus étrange là-dedans ? J'étais presque prêt à me tuer. J'avais tellement envie d'être libre. *Toujours* je brûlais, en vérité je brûlais du *besoin* de sortir de prison, d'être *libre,* de sortir de cette chose qui détruisait ma vie irrévocablement. Je vendrais mon âme pour la liberté hors de prison, mais je ne vais pas donner une seule journée de travail honnête ni me « comporter convenablement » un seul instant pour la même chose. N'est-ce pas étrange ? Ma pauvre âme ! Dans quel état elle doit être pour pouvoir être achetée à si bas prix !

... Ce ne sont pas les prisonniers qui établissent leurs relations mesquines en prison. C'est le système carcéral de l'Amérique qui les pousse à commettre des outrages les uns envers les autres. Ce n'est pas nous qu'il faut blâmer. Nous ne sommes pas des animaux, mais nous sommes mis en troupeaux comme du bétail. Nous sommes déchirés par le système de libération sur parole qui récompense tout ce qui est bas et vil dans l'homme. Si nous trahissons nos pauvres camarades, nous sommes récompensés. Si nous entrons en compétition pour obtenir les bonnes grâces de nos geôliers, nous sommes récompensés. Si nous refusons de nous défendre, nous sommes récompensés. Si un homme se laisse utiliser par le personnel de la prison pour attraper un autre détenu, il est récompensé. S'il suce votre queue pour que vous lui fassiez des confidences, il est récompensé pour l'information et félicité pour la méthode employée. On ne se trompe pas quand on considère le personnel des prisons comme des brutes sadiques qui passent leurs heures de travail à créer et encourager les intrigues les plus sordides entre les détenus.

On dit que les gens qui *vivent* ensemble finissent par se ressembler. Les couples mariés commencent à se ressembler parce que leurs expressions reflètent un accord sur les choses qui les entourent, parce que leurs maniérismes et leurs idiosyncrasies sont devenus semblables. On dit que c'est un signe d'amour authentique — que l'être aimé et l'être amoureux se fondent en un. Je l'ai constaté. Nous l'avons tous constaté. Nous savons bien qu'il faut des années de vie commune pour que les amants deviennent des « sosies ».

Mais une partie de moi enfouie au plus profond de mon être se retourne dans sa tombe chaque fois que je remarque que je ressemble à mes « frères » qui ont été toute leur vie en prison. Au fil des ans *j'ai étudié* le changement de mon apparence. C'est la conformation d'un hors-la-loi, d'un « barbare » (pour utiliser un terme archaïque). C'est le visage des hommes à la fois *déclassés* et *déculturés*. Des hommes qui sont devenus des asociaux tout en vivant en société ont cette physionomie. Je l'abhorre, cette allure « Lumpenproletariat » du criminel, ce résultat d'une guerre des nerfs que personne n'a déclarée mais que l'on impose de force !

Après dix ou quinze ans, le soleil ne se couche et ne se lève jamais, dans une prison. Il n'y a pas de saisons : pas de vent, de pluie ou de rayon de soleil dans les cheveux.

Il n'y a pas d'enfants pour vous donner une ouverture sur la vie, pas de femme pour apaiser votre âme. Je n'ai jamais marché sous le ciel dans la nuit, dans le périmètre de la prison.

Vos besoins sont transformés en créatures qui vous traquent avec les réflexions de toutes les failles de votre existence personnelle. Il n'y a rien d'aussi superflu que le besoin personnel de satisfaire des besoins personnels, et ces besoins sont transformés par la loupe et le kaléidoscope de votre âme en des images et des objets si intenses qu'ils perdent le peu de réalité qu'ils avaient jusqu'à ce que vous, vous-même, ne soyez plus capable d'accepter la réalité aussi facilement qu'avant.

Vous essayez seulement de garder le contrôle de vous-même parce que d'autres — d'autres détenus — sont avec vous. Vous ne vous réconfortez pas les uns les autres, vous vous distrayez les uns les autres. Et vous prolongez cette confusion en vous mentant les uns aux autres. Vous ne pouvez pas vous souffrir et pourtant vous êtes condamnés à vous souffrir et vous faire face à chaque instant de chaque jour pendant des années sans fin. Vous devez vous laver ensemble, déféquer et uriner ensemble, manger et dormir ensemble, travailler ensemble.

La révélation de la moindre faille fait trembler le monde par son énormité. C'est comme si vous pétiez dans un immense stade et que soudain des milliers de personnes se taisent et vous regardent avec réprobation. C'est ce que les détenus se font les uns aux autres.

Dieux et drogues

Les yogis affament leurs besoins jusqu'à les annihiler. Les miens, je les nourris de rêves. Je les endors, mais ils se réveillent toujours et essaient de me faire remuer comme un pantin au bout d'une ficelle. Je suis un Blanc, un civilisé, comme vous et comme tous les Blancs. Le besoin de vivre proche de Dieu, la nécessité, en d'autres termes, qui engendre la certitude dans nos cœurs que Dieu existe, court dans nos gènes à travers l'Histoire. Contrairement à vous et à la plupart des Blancs, mon désespoir de Dieu m'éloigne même des conventions rituelles de la religion. Contrairement à d'autres, je ne sens pas la nécessité en moi des conventions sociales qui respectent les morts. Contrairement aux Blancs de l'âge moderne, des philosophes qui désespèrent de Dieu, mon désespoir ne me pousse pas à l'*acte* existentiel de croire.

Je ne crois pas en Dieu, non parce que je ne veux pas, mais parce que je ne *peux* pas. Je ne crois pas en l'éthique religieuse parce que je ne peux pas, et de même pour toutes mes croyances. Et quant à mes « sentiments », je ne peux choisir ce que j'envie, je hais, j'aime ou je désire. Si je croyais la peine de mort absolument « immorale », je n'hésiterais pas à sauver n'importe qui de l'exécution. Sinon, ma *conscience* me hanterait. Est-ce que tout cela est une aberration psychologique ? Est-ce de l' « idéalisme » ? Je ne pense pas. Mais je pense que toute philosophie existentialiste moderne vise à trouver une façon pour l'homme de vivre avec une conscience coupable, une conscience qui le hante.

L'homme est un lâche, tout simplement. Il aime trop la vie. Il craint trop les autres. Et moi aussi, si je pouvais, mais je ne peux vivre avec un mensonge. Mais j'ai vu des hommes mentir si facilement qu'ils arrivent à s'en tenir pendant des dizaines d'années à l'histoire qu'ils ont racontée.

... L'idée vient juste de me venir que toute forme de théisme doit être ancrée dans une forme parallèle de « foi ». Une foi mal placée dans la société (l'humanité) et dans les êtres vivants a toujours pour résultat la foi en quelque monde métaphysique. La foi est un concept infernal, un phénomène infernal. La foi existentielle, pour Sartre, signifiait foi seulement en la distinction entre son trou du cul et un trou dans la terre (plutôt littéralement). Pour d'étranges raisons trop banales pour être exposées ici, il a *dit* que la perte de la foi (c'est-à-dire la peur, la phobie) en un *trou* (je veux dire cela aussi *littéralement*) a pour résultat (par déplacement) le phénomène connu sous le nom d'homosexualité. Il a vraiment dit cela dans les deux cents dernières pages, à peu près, de *l'Être et le Néant.* J'ai lu cela il y a treize ans et il m'est toujours difficile de croire que quelqu'un (même lui) soit si lourd et si stupide qu'il puisse dire une chose pareille — même si d'un certain côté c'était vrai. Ces idéalistes sont si naïfs quand ils parlent de la réalité matérielle.

... Je trouve que dans toutes les religions l'élément humain est touchant et très beau. Les idées religieuses m'émeuvent beaucoup, presque autant que les gens qui croient à ces idées. Je suis ému de savoir que vous trouvez une consolation dans l'existentialisme religieux. J'aimerais bien, moi aussi. Vous avez beaucoup de chance. Mes lectures de Kierkegaard, Buber et Jaspers — pour n'en citer que trois — m'ont inspiré et m'ont changé. Le peu de maturité émotionnelle que j'ai, j'estime que je la dois aux œuvres de Sören Kierkegaard (après les divagations infantiles de Nietzsche).

Je veux de la consolation plus que n'importe quoi en ce monde. Je n'y peux rien si je n'ai pas été consolé par Dieu ou par une vision de la vraie Gloire de Dieu. Je pense cela de tout mon cœur. La science n'est pas une consolation pour moi, pas plus qu'aucune connaissance abstraite du monde ne peut être une consolation.

La vérité de l'existentialisme religieux est d'une nature différente de la vérité scientifique. Mon problème est de vivre avec les deux parce que, pour quelque raison perverse, ma vie a été telle que je ne peux être heureux, je ne peux être consolé, avec juste l'une des deux. Les deux doivent se rejoindre, et tout porte à croire que c'est ce que le marxisme permettra.

... *Dieu, j'ai besoin d'un shoot immédiatement.* C'est le seul répit possible après tant d'années. Le mois prochain je commence ma dix-septième année derrière les barreaux.

Sentir l'incandescence qui s'enflamme dans mon ventre comme un incendie et monte à travers mes nerfs et mes viscères, jusqu'à mes tempes, est quelque chose que rien d'autre ne peut me donner. J'y trouve ce dont j'ai besoin pour vivre avec tout ceci.

Les autres dieux ne sont rien à côté. Vous n'avez pas besoin de croire en quoi que ce soit. Quand le désespoir vous pousse à croire en Dieu, vous avez trompé l'oppression si vous arrivez à vivre à côté de la bête sans avoir à faire des contorsions intellectuelles pour croire que c'est Dieu.

Quelqu'un a dit que s'il n'y avait pas de Dieu, les hommes en inventeraient un. L'homme qui a inventé l'opium devait être l'homme le plus rebelle. Je crois que dans ce contexte religieux, le terme est *damné.*

Avez-vous remarqué comment sur ce continent les drogues sont plus ou moins liées aux questions révolutionnaires ? C'est vrai jusqu'à la pointe de l'Amérique du Sud.

Je pense parfois que c'est notre antidote au diable. L' « atmosphère » est tellement étouffante dans ce qui est l'empire capitaliste monolithique le plus puissant de la Terre. Je n'ai pas « besoin » de ce que seul le diable peut me donner si j'ai quelques drogues (un peu de marijuana, de champignons, de hash). Je voudrais que la révolution dans ce pays soit aussi simple que dans les pays industriellement sous-développés. Sinon, je finirai ma vie en train d'assassiner un maton dans le couloir de la prison. Surtout aujourd'hui, que les prisons sont beaucoup plus « douces » (c'est-à-dire un enfer psychologique pour le communiste américain). Je ne durerais pas longtemps sans des répits, une fois de temps en temps. Ces répits, seules les drogues peuvent me les apporter.

Olé !

Et si j'étais seulement en train de me justifier inconsciemment avec ces mots, et qu'ils étaient juste une façon idiote de s'excuser d'être un trou du cul ?

Je me rends compte, mais pas aussi pleinement que je devrais, que tous ces doutes sur moi-même ne sont que des expressions de mon isolement. Avec la liberté matérielle d'agir, de créer et de renforcer des liens et des situations, je n'éprouverais pas de telles crises d'identité. Je rirais à me souvenir de ces jours (actuels) de mes « réflexions sur mes réflexions ».

Un camarade est arrivé l'autre jour, transféré d'une autre prison. Il conçoit la discipline en termes de santé physique (pas de cigarettes, de drogues, de mecs, etc.). Presque en termes de *gymnastique suédoise.* Cette attitude exprime une tendance ultra-gauchiste qui a fait un demi-tour de cent quatre-vingts degrés et est presque identique à la droite.

Il est entré en prison avec une condamnation si longue qu'il n'en sortira pas vivant. C'est la première fois qu'il est en prison. Bien qu'il y ait passé maintenant cinq ou six ans, on dirait qu'un tas de circonstances ont conspiré pour le protéger contre beaucoup des réalités de la prison : les autres prisonniers, et donc, lui-même.

Il ne comprend pas le *vice.* Il a la conscience d'un bourgeois, c'est-à-dire qu'il a une conscience de toute évidence mauvaise et donc des *sentiments de culpabilité.*

Il veut se tenir à l'écart du sort fait à tous les prisonniers et pourtant il est l'un d'eux. Naturellement, il a ressenti quelques-uns de leurs besoins les plus pressants (besoins pour lui très humiliants, honteux, dégoûtants). Il se nie à lui-même qu'il les éprouve et semble prendre plaisir à dénoncer quiconque ne se nie pas à lui-même de tels besoins.

Il ne comprend pas que des hommes qui sont privés des formes les plus essentielles du bonheur trouveront toujours ce bonheur sous d'autres formes. Le bonheur est un besoin grave, un besoin aussi décisif, aussi inévitable pour le soutien de la vie humaine que le sommeil.

Tant qu'il fait partie d'un peuple qui ne peut trouver le bonheur que dans ce que les gens des autres parties du monde appellent des *vices,* il *doit* éprouver le besoin de satisfaire ces vices.

Il y a plusieurs échappatoires à cela. Il y a la folie (je veux dire la folie lourde, bavante). Il y a le suicide. Il y a la coexistence ; je veux dire devenir un *instrument* de ceux qui nous gouvernent en prison.

Aucune de ces échappatoires ne vous laisse partir indemne. Toutes partent de la peur de vous-même, de l'incertitude vis-à-vis de vous-même.

Je lui ai dit une fois :

— En tant que révolutionnaire communiste tu ne peux

pas ramener ton cul propre comme un sou neuf dans un *bohio* du Pérou et critiquer les paysans-serfs qui mâchent des feuilles de coca pour la cocaïne qu'elles contiennent et leur ordonner d'arrêter de manger la cocaïne et de ravager leur corps avant de s'organiser pour faire la révolution.

C'est une des seules formes de bonheur *possibles* pour eux. Exiger une telle chose est exiger qu'ils se joignent à leurs oppresseurs, à leurs maîtres — qui ont les *mêmes* exigences.

... J'ai commencé à prendre de l'héroïne, il y a longtemps, en prison. Je venais de m'envoyer trois ans au mitard en isolement. J'en suis sorti avec la peau et les os, les nerfs complètement détraqués (comme cela se passe généralement). Mes amis m'ont fait cadeau d'un gosse dans ma cellule. Ma personne l'excitait et il brûlait de désir. Je coupai court, le renvoyai et me préparai une piquouse. Je me suis piqué pour des raisons dictées par l'émotion, je crois. Nous avons tous besoin de sécurité émotionnelle. C'est la seule façon pour moi de l'obtenir, alors je le fais. C'est pratique, et la plupart des détenus qui font de longues peines utilisent l'héroïne *dans ce but.* C'est thérapeutique.

... Il y a une sorte de marijuana qui est très bonne, très puissante, et chère. Ce sont les feuilles d'une plante de cannabis affamée de sexe. Une plante de cannabis femelle est placée parmi des plantes mâles, entourée de plantes mâles. On enfonce des épingles à divers points de ses tiges pour empêcher les graines de passer dans les branches et d'être fertilisées par les mâles. Elle commence à trembler et à souffrir.

On dit qu'au bout de quelques semaines la plante se contorsionne de douleur. On dit que la nuit, quand le soleil se couche, on peut la voir bouger. Elle tire ses feuilles vers elle comme si elle serrait les bras autour de son corps pour se réchauffer. L'idée de la tragédie dans la vie d'une plante est créée par l'homme.

Partout où je vois de la souffrance, je vois quelqu'un qui prend du plaisir aux fruits de la souffrance.

... Il y a des gens qui deviennent mous et ignares ; des gens qui deviennent béats et moribonds ; des gens qui deviennent sournois et paranoïaques — quand ils déconnent avec la blanche en prison.

Je deviens philosophe. Je ne m'en suis rendu compte que très tardivement. Quand je suis seul dans ma cellule, flottant sur une vague de narcotique, je commence à penser à des sujets philosophiques et les choses ont une telle clarté que c'est presque comme de connaître le satori.

Aujourd'hui, après avoir pris du hash (derrière la Benzédrine), j'ai gardé un carnet près de mon lit et j'ai écrit tout ce qui me paraissait important parmi ce qui me venait à l'esprit. C'est fragmenté mais cohérent.

J'ai découvert qu'il n'y a qu'une différence relative entre l'apparence et la réalité ; l'une n'a pas intrinsèquement plus de valeur que l'autre. J'ai rapproché cette formule d'autres choses, et voici mes notes, telles quelles :

L'intérieur peut provoquer des changements externes. Vice versa. Nous semblons toujours accepter que l'apparence des choses ait moins de valeur que leur « réalité ». Pourquoi ? Les hommes comme moi ne calculent pas la valeur. Mais aussi, nous n'arrivons pas à être mesquins, nous n'arrivons pas à être assez habiles, quand nous échangeons des valeurs avec les autres.

Au lieu de calculer la valeur, de *déterminer son poids,* nous refusons par une sorte de réflexe de mettre un prix dessus. Il semble alors que nous n'avons nous-même pas de valeur, mais en réalité nous n'avons *pas de prix.* Il y a une différence. Mais, comme je l'ai dit plus haut, quel est le plus « valable » ?

Le prix et la valeur. L'un n'est pas plus « moral » que l'autre. C'est le cercle vicieux, le serpent qui se mord la queue en croyant attraper autre chose.

Après l'abrogation de la négation, il n'y aura pas de contradiction entre des choses telles que « le prix et la valeur ». Les choses existeront mais pas les contradictions. Comme c'est étrange. C'est un pas dans l'évolution de notre espèce, un pas au-dessus de l'*homo sapiens.* C'est le marxisme.

C'est comme si je supportais tout en ce monde. Tout. Même mes plaisirs. Même quand je suis si heureux que je voudrais que l'instant dure éternellement, j'ai toujours envie de le voir passer. Je supporte même mon plus grand bonheur.

La notion d'existence spirituelle, sous n'importe quelle forme, me cause de l'angoisse et du désespoir. Le marxisme est ma consolation.

C'est ce que les gens ordinaires sentent dans les doctrines du communisme, le marxisme. C'est ce qu'ils identifient à la puissance de Satan.

(Un homme apparemment dépourvu de valeur qui ressent de la détresse au point d'être angoissé devant l'idée d'une existence spirituelle.)

Les hommes comme moi signifient la mort de Dieu avant qu'il soit conçu. Et nous pouvons faire périr Dieu, le chasser du monde, et tout le monde peut aussi « sentir » cela dans le marxisme.

Choisir son camp

La majeure partie de ma vie consciente s'est avec les années profondément enrichie d'une perspective politique. C'est l'un des produits inévitables de la souffrance en prison — que ce soit « vrai » ou « faux » importe peu. C'est moi. C'est n'importe lequel d'entre nous, dans ma peau.

... La *propagande* c'est la vérité racontée d'un certain *point de vue.* Elle définit la signification d'une chose de ce point de vue. Ce n'est pas tout à fait la même chose que le jugement *relatif.* Quand on dit « le même homme est pour l'un un combattant de la liberté, pour l'autre un terroriste », on comprend que qu'est la propagande.

Le *contraire* de la propagande est le *mensonge.* Si je dis que quelque chose *s'est passé* alors que ce n'est pas vrai, je *mens.* Je ne suis pas en train de faire de la propagande.

Quand la Chrétienté était encore en train de s'installer dans l'Église catholique romaine, il y avait un organe du Vatican appelé Direction de la Propagande. Sa mission était d'enseigner aux prêtres et aux officiels de l'Église la façon d'interpréter les événements du point de vue des doctrines religieuses chrétiennes. Il n'avait pas été créé pour propager des *mensonges,* mais une certaine *perspective* sur le monde.

Naturellement, d'un certain point de vue, tous les maux qui s'abattent sur les hommes en prison sont des choses que les prisonniers attirent sur eux-mêmes. Cela, c'est de la *propagande.*

De mon point de vue, aucun prisonnier n'attire ces maux sur lui-même — et une des plus simples raisons de cela c'est qu'il est un prisonnier et n'a pas la liberté de se faire quoi que ce soit à lui-même. Mais s'il *avait* cette *liberté,* une des preuves qu'il est libre est qu'il ne s'infligerait jamais une blessure ni autre forme de violence à lui-même. Cela aussi, c'est de la *propagande.*

Le point de vue que vous choisissez et défendez, c'est votre affaire.

J'ai vu ce que la « justice aveugle » a commis dans toute son horreur. J'ai vu des tortures physiques infligées par les autorités des prisons aux prisonniers qui dépassent toute croyance. *Tout* cela, c'est le châtiment bourgeois.

Les prisonniers qui ont la *volonté* la plus forte se rebellent. S'ils sont suffisamment intelligents pour *lire* et comprendre un peu, ils se réhabilitent *en tant qu'hommes,* pas par la religion, ou l'embrigadement des prisons, ou la torture physique, ou les « pensées sur la peine capitale », mais à travers la compréhension du communisme et la discipline qu'il implique.

L'État dit à tout le monde que le communisme ne peut être enseigné que par la torture et qu'il emprisonne et empoisonne les esprits des hommes, en leur prenant leur « liberté de penser ».

Je vous assure que jusqu'à ce que l'aile gauche de l'opinion *fasse pression* sur le gouvernement, la littérature communiste était *absolument* interdite à toute la population des prisons *ici* aux États-Unis.

J'ai risqué, avec d'autres, de sévères peines disciplinaires pour obtenir et garder de la littérature communiste.

… Personne ne peut m'accuser (et ne l'a jamais fait) de ne pas avoir une forte volonté. Mon Q. I. a fait un bond de 127 à 138 en deux années d'études intenses des œuvres de Marx et Lénine, entre 1966 et 1969. Cela est confirmé par un psychologue des prisons.

Si quelqu'un veut savoir pourquoi les prisonniers sont si attirés par les écrits communistes, ou subversifs, la réponse est simple : la presse communiste dit toujours la vérité quand elle rapporte ce qui se passe dans les prisons ou en décrit les conditions de vie. Est-ce si difficile à comprendre ?

Les prisonniers entrent en contact avec des communistes par *nécessité.* Ils ne le font que lorsqu'ils n'ont pas le choix. Ils peuvent écrire et en appeler à des sénateurs, des membres du Congrès, des avocats spécialisés dans la défense des droits civiques, les médias, les tribunaux, ainsi de suite *x* fois, et ne jamais recevoir la moindre preuve d'attention, et rarement ne serait-ce même qu'un mot gentil. Et de quoi se plaignent-ils ? D'avoir été torturés par des matons, de *coups montés* pour des crimes commis en prison, dont ils ne sont pas coupables, d'absence de *soins médicaux,* de *discrimination* arbitraire et lunatique, de la destruction de leur courrier, des interrogatoires subis par leurs amis et parents en dehors de la prison — la liste n'est pas *sans fin* mais elle est longue, plus longue que la liste des réclamations que les prisonniers des autres pays peuvent présenter. Les communistes fournissent des avocats aux prisonniers pour que les tribunaux ne puissent pas *si facilement* faire des confettis avec leurs requêtes au greffe. Les communistes font des enquêtes sur les conditions de détention et descendent dans la rue parmi le peuple pour éveiller l'intérêt envers les prisonniers. Les communistes font des campagnes d'écriture de lettres aux autorités (gouvernement fédéral, états, municipalités, etc.) en demandant la fin des mauvais traitements infligés aux détenus. Ils font tout ce qui est légalement possible pour aider à réformer les prisons et sauver les prisonniers de la folie, des coups, de la mort. Ils font cela pour *tous* les prisonniers.

Personne d'autre ne fait quelque chose. Les libéraux, les mouvements humanitaires et le clergé sont pires que n'importe qui. Ils sont « trop occupés », ils ne peuvent pas faire grand-chose, etc. Ils restent là plantés à se parler entre eux de leurs expériences avec les prisonniers ; ils cherchent à être reconnus comme des *autorités* et des « porte-parole » pour les prisonniers. Et pas une *seule fois* ils n'ont, que ce soit en groupe ou individuellement, réalisé une *seule* réforme ou aidé un seul prisonnier torturé en prison. Les communistes les *utilisent,* utilisent leurs noms pour accomplir en coulisses la réforme des prisons. Le FBI a raison de supposer cela — mais tout le monde le nie *par prétention.*

Les communistes se comportent toujours comme on peut s'attendre que des gens dignes de ce nom, dans une société digne de ce nom, réagissent les uns envers les autres. Les *communistes,* pas les gauchistes.

Si je n'avais pas connu leur influence, je serais probablement sorti de prison il y a longtemps. Mais j'y serais retourné sans cesse, j'aurais été un voleur ou un drogué glandeur, qui ne connaît rien d'autre de la vie que chanter le blues et payer ce qu'il doit en prison. Pourquoi ? Parce que depuis l'enfance, l'État fédéral et les divers États m'ont dressé à être cela.

C'est ce que l'adaptation à la prison fait à un homme.

Je suis toujours très ignorant, mais je peux me refaire. La leçon la plus importante que j'ai apprise est que je trahirais n'importe qui et n'importe quoi dans des situations extrêmes. N'importe quoi, sauf mes convictions, et je sais que la simple « amitié », les simples « liens du sang » ne sont que des sentiments. Toute chose, toute relation que je peux avoir, fondée sur le sentiment, est en danger que je la trahisse moi-même. Je ne le fais *jamais* facilement ; rien ne m'est plus pénible que de trahir un sentiment, soit en moi, soit chez les autres ; et je ne l'ai fait qu'une ou deux fois au cours de ma vie, mais au fond de mon cœur je l'ai fait un million de fois. Je considère que c'est une faiblesse maintenant d'être fidèle à un sentiment : car ainsi je suis fidèle à mon cœur, à ma « faiblesse humaine ».

J'ai choisi mon camp et ainsi j'ai gagné. J'ai appris à *toujours* choisir mon camp et à attaquer l'adversaire aussi brutalement que possible. Peut-être est-ce quelque chose qu'un Castro comprendrait facilement mais qu'un Sartre *ne pourrait* jamais saisir.

Quand Dostoïevski soulignait que nous ne sommes pas des hommes en général, des hommes abstraits, l' « homme » idéal, il ne voulait pas dire qu'à l'inverse nous sommes tous ignobles, lascifs, faibles, merdeux, etc. Il voulait dire que nous tous, les « merdeux » (comme moi), les faibles, les lascifs, les ignobles, etc., sommes tous capables de mourir pour une cause juste, une « belle idée », un *principe*. En bref, que nous sommes *tous* capables d'honneur, et pas seulement les « classes nobles ».

Il voulait dire qu'avoir du cœur n'est nullement une faiblesse humaine. Au contraire. Rien de ce qui touche le cœur humain n'est absurde, parce que l'Absurde est au fond une contradiction, et le cœur choisit son camp, défend un terme, si l'on veut, à l'exclusion d'un autre. Une contradiction insoluble est un *paradoxe*. Un paradoxe titille le cœur humain, ne lui impose pas le fardeau désespérant d'une existence absurde, dépourvue de sens. Une bonne partie du problème avec Sartre, Camus et compagnie est que la bourgeoisie a oublié comment rire avec le cœur au lieu du ventre. C'est encore une chose qu'un Castro peut comprendre, mais pas un Sartre.

... Quand un homme prend une position opposée à une autre et refuse d'en parler car il pense que la vérité tient à un sentiment qu'il a au fond du cœur, et que le voisin n'a pas, il adopte une attitude *antihumaine* contre l'humanité. C'est parce que c'est le but de l'humanité d'atteindre un accord (*social*) : n'importe quel imbécile peut voir que c'est vrai, puisque nous sommes tous des êtres sociaux.

En réalité, seuls des égaux peuvent parvenir à un accord. Tant que les classes ne sont pas égales, les hommes ne sont pas égaux, et il n'y a pas moyen que je puisse parvenir à un accord avec les ennemis de ma classe — d'autant plus que ces ennemis détiennent le pouvoir de vie ou de mort. Un homme qui « n'accepte pas » que quelqu'un d'autre puisse lui ôter la vie ne peut limiter son « désaccord » à des mots. Si les actes résolvent le désaccord, ils sont aussi valides que les mots.

Le sentiment n'est pas la source de la faiblesse humaine, bien qu'aujourd'hui ce soit l'instrument de cette faiblesse. Certains (par exemple Spinoza) ont dit : l'amour est faiblesse, mais quand je parle du cœur humain je parle de quelque chose qui est pénétré d'amour.

Aujourd'hui, je pense que la faiblesse humaine résulte des divisions sociales. Aujourd'hui, je pense que la faiblesse humaine vient du fait que la nature humaine est encore très inachevée dans son évolution.

En bref, la faiblesse humaine tient au fait que personne n'est parfait parce qu'aucune société n'est parfaite. Ce n'est pas la conscience de cela qui absout les hommes d'avoir choisi leur camp. Seule l'ignorance absout.

Être conscient que personne n'est parfait c'est connaître par l'intuition, saisir avec le cœur la nature d'une imperfection et prendre position contre. Cela s'appelle : *l'engagement.*

Le Bien contient le Mal. Le cœur de tout homme peut sentir que ceci est vrai. Le cœur humain est trahi s'il ne maintient pas son intégrité en choisissant son camp contre le Mal, en le chassant d'un pays à l'autre si nécessaire, pour l'écraser dans la poussière.

C'est pourquoi Castro a permis aux prostituées de s'organiser (de se constituer en syndicat) au lieu d' « abolir » la prostitution à La Havane. Il ne l'a jamais laissée aller se cacher plus loin. Sartre n'a pas compris cela correctement. C'est pour la même raison que le parti de Lénine a aboli les *lois* (faites par l'homme) faisant de la sodomie un crime quand les bolcheviks ont pris le pouvoir en Russie par la révolution d'Octobre. Aucune loi de l'humanité qui abolit les hommes n'est juste. Les lois « plus élevées » sont les principes matériels qui gouvernent l'univers aussi bien que les sociétés des hommes, malgré les hommes. Il n'y aurait pas de prostitution ni de sodomie si ce n'était pas nécessaire, et les neuf dixièmes des besoins des hommes dans une société réactionnaire sont rendus nécessaires par les conditions antinaturelles de la vie sociale. Les communistes sont plus près de résoudre toutes les « énigmes » de l'humanité que tous les hommes de science ou philosophes du passé et du présent ne l'ont jamais été.

Je ne veux pas me vanter en disant cela. Ce n'est pas une « théorie » mais un fait *démontrable.* Je n'ai pas dit un beau jour : « Au diable le monde entier ! Je vais être *communiste !* »

Franchement, rien qu'au mot je pissai dans mon froc et j'ai temporisé de mille façons en essayant d'échapper à ce titre « infamant ». Je me suis intéressé à la philosophie non en homme de science distant, non en universitaire ou en étudiant, mais parce que ma vie en dépendait. Je me battais pour me sauver moi-même des affres de la mort. Qui n'en a pas fait autant ? Tout le monde, à un moment donné. Mais mes affres de mort ont duré beaucoup plus longtemps ; ma vie était beaucoup plus en danger, parce que je me battais pour mon *temps de vie* et que j'ai été en prison longtemps ; longtemps. C'est mon insatisfaction de la vie même qui m'a poussé, et m'a poussé plus loin que les autres.

J'ai atteint le sommet avec Hegel et Schopenhauer et régressé avec Nietzsche et Kierkegaard. Mais je suis allé encore plus haut avec Karl Marx et Friedrich Engels. Tous mes progrès dans le marxisme depuis lors m'ont emmené encore plus haut. Lénine, Staline et Mao enseignent les principes les plus élevés de la société humaine.

Nietzsche sentait la présence des communistes quand il a écrit sur les philosophes de l'action, les philosophes du futur qui viendraient après lui, comme Kierkegaard, qui perçut la mort de la foi et la naissance de la responsabilité individuelle et de l'engagement. La chose-en-soi est connaissable par *l'action.*

Marx a mis fin à la philosophie et aux études philosophiques telles que nous les connaissons traditionnellement. Il a donné aux philosophes les instruments pour changer le monde et *ipso facto*a amené à la philosophie un nouveau type d'homme.

... Essentiellement, Marx a démontré par la voie philosophique que l'État recevait sa légitimité non de Dieu mais de la classe dirigeante. Dans la société bourgeoise, les droits que peut avoir le citoyen sont donnés par l'État et par les intérêts bourgeois. Ces droits sous-tendent l'existence non du citoyen individuel mais de la bourgeoisie.

Quelle est l'utilité d'un homme pour un autre dans la société américaine ? Il est un objet d'exploitation. Que l'on recherche ses talents, ses connaissances, sa coopération, son capital ou son travail — cela ne fait pas de différence. Les hommes emprisonnent d'autres hommes non seulement au sens concret mais au sens le plus abstrait, le plus intellectuel. En fin de compte, dans cette société des hommes, c'est l'Homme lui-même qui est un obstacle insurmontable pour les hommes, par le fait des mêmes qualités que l'on suspecte en lui.

La tragédie de la société des hommes est qu'elle ne pourra jamais dominer l'Homme. Les hommes ne pourront jamais être satisfaits en tant qu'hommes parce que tout progrès de la société les entraîne loin d'eux-mêmes. Ils recherchent chez les autres des qualités qu'ils n'arrivent pas à égaler. Aucun homme de la société américaine n'a jamais été à son dernier repos satisfait, comblé, pour cette raison.

Cela est vrai parce que dans sa vie il doit affronter presque quotidiennement le choix entre le bien et le mal et il doit profaner le bien s'il veut survivre en tant membre de la société. Et qu'entend-on par « bien » si ce n'est les qualités de justice, d'égalité, de vérité, de liberté — toutes ces choses que nous espérons comme des « idéaux » ?

Comment résoudre cette tragédie ? Comment les hommes se rachètent-ils dans leur plénitude en tant qu'Homme ? Elle se résout *dans une bouffonnerie* — et non sans justice poétique : toutes les intrigues romanesques, travaux d'approche et consommation de l'acte sexuel entre homme et femme dans cette société d'hommes qui *exclut* la femme sont *reproduits* dans les relations entre hommes. Le magnat riche et puissant, le sénateur distingué et l'universitaire intelligent et cultivé — tout comme le père de famille ordinaire et le sportif — se retrouvent un jour contre leur sacro-sainte volonté, attirés par les représentants de leur propre sexe — l'autre homme.

Peu importe qu'il y ait ou non consommation, *l'intrigue* demeure. Elle peut apparaître dans la compétition fondamentale pour une femme, elle peut apparaître dans presque tout acte de violence individuelle, particulièrement dans la violence psychologique commise contre l'esprit.

Et dans l'histoire de toutes les civilisations, un *symptôme* commun à toutes, tandis qu'elles s'écroulent en ruine dans les flammes, est l'image de cet accomplissement grotesque de l'Homme s'étreignant lui-même dans un acte sexuel passionné.

... J'ai passé toute une vie serré avec d'autres comme des sardines. La chose la plus *évidente* que je remarque est combien il est facile de faire changer les gens. La peur et l'ignorance sont les faiblesses mentales qui donnent accès aux gens. Les deux sont distinctes, elles ne sont en *aucune manière* identiques.

Les mots n'enseignent rien d'autre qu'un vocabulaire — en d'autres termes, les mots ne parlent qu'à l'imagination d'une manière ou d'une autre. Ils devraient servir à *agir,* non à bâtir des châteaux de sable. Les gens commencent à penser réellement et à changer en mieux *seulement* s'ils sont forcés de *vivre des expériences,* bonnes ou mauvaises.

Si les choses étaient différentes, la vie serait sans piquant, sans surprises, sans intérêt. Nous serions tous pareils. La réforme, ce n'est que des mots ; la révolution, c'est *l'action.*

Une révolution est l'expérience la plus libératrice, la plus exaltante que l'on puisse connaître. C'est le moment où un monde nouveau se met à exister, où les hommes et les femmes prennent en main leur destinée.

... Pour moi, vivre c'est changer. C'est fondamental dans le marxisme. Je n'essaie pas de vous convertir, je le répète. Vous êtes beaucoup plus sage que moi. Pour moi la sagesse est une étoile dans une galaxie située à des années-lumière d'ici. Vous m'insultez en supposant que je suis si sectaire que je ne peux avoir de conversation avec personne.

... Ils disent toujours des choses sans force, des choses *caduques.* Elle m'a parlé comme si je faisais partie d'un *complot* et m'a dit : « La violence engendre la violence » — comme s'il n'y avait que cet aspect-là.

Je lui ai dit que les révolutions se produisent sans que la volonté de l'homme y soit pour quelque chose, que ce ne sont pas des complots montés par des experts. Peu importe ce que les gens pensent de la violence. Ils parlent comme si une révolution était quelque chose qui commence et finit quand des gens prennent « position » sur de vastes problèmes. Une révolution n'est pas un concours de rhétorique. Personne ne « vote » pour.

La maxime qui dit « la violence engendre la violence » devrait répondre à leurs propres doutes sur la violence. S'ils pensent que le gouvernement américain, ses classes dominantes et ses laquais, n'ont pas *toujours* commis des actes de violence contre les classes défavorisées de l'Amérique, les nationalités plus faibles que les autres, ils vivent dans un rêve où ils sont seuls.

... Il n'y a rien d'étrange dans le fait qu'un gouvernement violent, une classe violente, *engendrent* la violence qui un jour les mettra violemment à genoux.

... Je comprends la question qui se pose quand on dit qu'apparemment les gens peuvent changer sans violence, sans connaître la force réelle des circonstances de la révolution sociale.

Outre le fait que l'expérience de la révolution sociale est un souhait chéri de la plupart des masses partout dans le monde — et que *ce n'est pas du tout une chose menaçante* — je concéderai que c'est peut-être une « mauvaise expérience » pour les ennemis de ces masses.

Les ennemis — il s'agit des libéraux et du clergé — disent que « rien que dans la tête d'un homme il peut y avoir énormément de violence et d'angoisse ». Je n'ai pas l'habitude de parler comme cela, mais c'est un des rares cas où je peux dire à proprement parler que de telles notions sont « curieuses ».

Dieu sait que je sais tout sur « la tête d'un homme » — mais laissez-moi ajouter juste ceci : il y a ceux qui souffrent *par eux-mêmes* et ceux qui souffrent *par d'autres.* Il y a une différence *considérable.* La première forme de souffrance n'est pas *légitime.* Ceci ne veut nullement dire que ce n'est pas une souffrance *authentique*. Elle n'est pas légitime parce qu'elle *ignore* réellement la souffrance des autres. L'égoïsme est une forme authentique de souffrance. Historiquement, il a toujours été une maladie des classes opprimantes, des classes dirigeantes. Personne d'autre n'en souffre.

Les mots ne me rendent pas furieux. Mes convictions sont « arides » ? Elles *doivent* l'être parce que ma *vie* est aride. Je n'ai jamais modéré ma conviction en des choses comme la violence, et votre ami X est certainement un « marxiste cultivé — rien à voir avec le marxiste que je suis — s'il ne sait pas que le marxisme-léninisme prêche le conflit violent. Si une expression pouvait caractériser le *marxisme en action dans la société capitaliste,* ce serait celle de « conflit violent ». Je n'aime pas cela et je n'ai jamais dit que je l'aimais. Mais c'est un fait de notre société (et non, comme vous l'avez suggéré, du « comportement humain »).

Le type de jugement que je préfère est celui des « critiques » des XVIIIe et XIXe siècles ; la méthode *critique* inventée par Kant et améliorée dans les écrits révolutionnaires. Marx y était passé maître. Être capable de susciter le mépris pour quelque chose est associé au talent d'enseigner. Vous ne pouvez enseigner en prenant le sujet légèrement, en étant superficiel — en faisant de l'*humour.* Les gens *tolèrent* ce qui les amuse même si cela ne leur « convient » pas. Mais personne ne tolère quelque chose qu'il méprise. Il y a des choses en ce monde qui ont besoin d'être redressées. Ce n'est pas par l'*amusement* que cela se fera, mais par le mépris.

Ce qui crée l'amusement et l'humour, ce sont les différences qui sont *vraiment* des différences transitoires ou des différences de *surface.* Mais rire aux différences entre, disons, la classe des travailleurs et la bourgeoisie *comme si* elles n'étaient que des différences de surface, c'est mentir. Les différences sont *péniblement* profondes.

L'angoisse d'un bourgeois (quelle cravate mettre pour la

soirée) et l'angoisse du prolétaire (les gosses n'ont pas de chaussures) ne sont pas *superficiellement* différentes. Elles n'ont pas la même valeur.

... Une fois au mitard, où j'avais environ deux ans à tirer, j'ai reçu des lettres d'une femme de quarante ans environ qui m'écrivait parce que des gens d'un mouvement quelconque avaient demandé au public d'écrire, de montrer qu'ils n'étaient pas indifférents, l'idée sous-jacente étant que si la Direction des Prisons savait que j'avais des gens dehors qui s'intéressaient à moi, cela m'épargnerait la visite du bataillon des cogneurs après tous les repas, dans l'aile des psychopathes de Springfield. A tout prendre, cette stratégie a marché. Nous sommes devenus amis et je lui ai beaucoup écrit. Je n'avais rien que mes couilles dans cette cellule, mais si j'avais eu quelques dollars, j'aurais pu cantiner. Je n'avais pas de dentifrice, encore moins du café ou des cigarettes. Une fois, je lui ai demandé — elle terminait toujours ses lettres (*deux par semaine*) par « Surtout n'hésitez pas à me dire si vous avez besoin de quelque chose » — si elle pouvait m'envoyer quelques dollars et j'ai fait une *liste* des choses qui m'étaient essentielles. Elle m'a écrit une lettre dédaigneuse (moi dans ma cellule nue, tellement bousillé que même la vue d'un bout de tissu de couleur me bouleversait jusqu'à l'euphorie) me disant que je la surprenais, qu'elle n'aimait pas les « matérialistes ». Elle disait qu'elle me croyait au-dessus des « contingences matérielles ».

Dans mon désir frénétique de ne pas être abandonné, je lui écrivis tout de suite et m'excusai. Elle m'écrivait sur du luxueux papier parfumé, dans des enveloppes parfumées, et me racontait ses problèmes : devenir actrice à la télé et (je jure devant Dieu que *je n'invente rien*) n'avoir qu'« un seul » manteau de *vison* qui était tout pour elle !

Quand vous êtes tombé tellement bas que vous vous raccrocheriez à n'importe qui, là-bas au-dehors, vous touchez le fond, ou vous en avez l'impression. Il n'y a pas vraiment de « fond » ; il est sans fond, ce puits des « dix mille choses » dans lequel vous tombez pour toujours si vous ne vous rattrapez pas à l'une d'elles, même si, gluante, elle glisse sous vos doigts.

Je *suis* intellectuellement cohérent et stable. Mais quand on en vient à moi, ma situation, mon côté subjectif, je peux réagir à la douleur comme un serpent à sonnettes.

Personne n'aime avoir mal, être blessé, et tout cela est douloureux. Toutes ces choses sont des choses médiocres et mesquines que tout le monde, dans toute société civilisée, considère comme allant de soi, mais que je n'ai pas. La colère, cette colère dont je ne suis même pas conscient, brûle toujours en moi.

Et il est même douloureux de vous en parler, parce qu'il ne vous est pas possible de connaître cette expérience, parce qu'elle est si proche de mon cœur, la sensation est si *humiliante* et si ténue qu'il me semble qu'il faut l'endurer pour comprendre ce qu'elle signifie réellement.

C'est comme si quelqu'un de calme et rationnel, quelqu'un de plutôt gentil, s'emportait tout d'un coup contre vous pour quelque chose que vous considérez comme totalement négligeable (vous l'avez peut-être un peu froissé accidentellement).

Je sais ce que l'on ressent à être un ascète *naturel,* un Spartiate *naturel,* et à être à l'aise dans cet ascétisme, cette allure spartiate. Et voir une personne — qui, si elle sautait un repas, pleurerait d'apitoiement — se moquer de mon « esprit matérialiste », de mon « égoïsme, mon « côté calculateur » — il n'y a pas de plus grave insulte pour moi que d'être accusé ainsi. Et pourtant, comme je l'ai dit plus haut, nous sommes tous obligés de nous raccrocher à quelque chose, si petite soit-elle, pour interrompre la chute dans le puits des « dix mille choses » (je sais que je parle comme un philosophe chinois, mais je viens de commencer « The secret of the golden flower » de C. G. Jung et Richard Wilhelm).

... Je ne pourrai jamais être heureux avec les désirs médiocres que cette société bourgeoise a marqués au fer dans ma chair, mon être sensuel.

Et ce qui est si étrange dans tout ceci, c'est que cette société m'ait refusé l'*expérience* qu'elle savoure (ou pense qu'elle savoure). La chose bizarre est que je *ne peux pas* connaître par l'expérience ce que j'ai raté, alors, pourquoi ne suis-je pas heureux ?

On m'a refusé la société des *autres,* c'est tout.

... Vous m'avez dit, finalement, que j'ai une vision marxiste-léniniste et que ces idées sont les plus longues à mourir. Pas vraiment. Cela dépend de l'homme. Vous avez dit préférer « les idées qui, fragiles et délicates, doivent survivre chaque jour et être recréées chaque jour dans les conditions les plus difficiles ».

Je pense que peut-être vous avez négligé de connaître « les conditions les plus difficiles » et que même maintenant vous vous efforcez péniblement de me négliger moi et ma condition. Les plus fragiles et les plus délicates des idées sont celles qui reflètent l'existence chez les êtres humains d'une zone impénétrable que *personne* ne peut envahir ni souiller : un noyau de tendresse humaine si tenace, si douloureux et résigné, calme et *attentif* aux réactions d'autrui et à l'amour qu'aucune force au monde ne pourra jamais le vaincre. C'est l'idée de l'âme — et il y en a beaucoup ; elles sont nées « fragiles et délicates et doivent survivre chaque jour et être recréées chaque jour dans les conditions les plus difficiles ».

J'ai besoin de beauté comme j'ai besoin d'air à respirer. Pouvez-vous imaginer que ces révélations les plus chéries, ces idées dont vous parlez, ne viennent pas vers moi dans ce puits comme elles viennent à vous ? Je sais combien la beauté est passagère, mais je sais aussi par expérience combien elle est éternelle dans le cœur de l'homme. Je viens juste de penser que j'aimerais croire que j'ai capturé un peu de cette beauté pour moi-même.

Violence américaine

Le peuple américain s'est toujours passionné pour les auteurs de massacres, escrocs ou meurtriers de tout poil. L'Amérique cultive la violence dans tout ce qu'elle crée, même chez les gens — gens façonnés par son système gouvernemental gigantesque et compliqué. « Le chant du bourreau » devrait parler à l'Amérique, dire aux Américains que si l'histoire de Gary Gilmore les passionne, s'ils vibrent à la violence faite à Gilmore (comme à celle faite par lui), alors, il faut qu'ils soient prêts, un revolver ou un flic sous la main, parce que cela se reproduira encore et encore, tant que la violence, élément fondamental du système américain, primera sur l'usage de la raison.

Que les Américains soient choqués et dégoûtés par les meurtres absurdes et les crimes de violence extrême contre des innocents me paraît être exactement l'attitude de la vieille prostituée usée qui s'indigne à la pensée des relations sexuelles prémaritales. Dites-le à l'Amérique.

Dites à l'Amérique qu'aussi longtemps qu'elle permettra l'utilisation de la violence dans ses institutions — à travers le vaste système administratif traditionnel de ce pays — les hommes et les femmes se laisseront toujours aller à la violence, et brûleront toujours de se revêtir du vernis culturel de cette société, basé sur l'escroquerie et la violence.

Quand l'Amérique pourra se mettre en colère à cause de la violence perpétrée contre ma vie et contre les vies d'innombrables hommes comme moi, alors la violence s'arrêtera, mais pas avant.

Mais en tout cas, dites à l'Amérique qu'elle n'est pas (comme on aime à le dire en Europe) un monstre en fureur né de l'émigration des pires dégénérés des nations du Vieux Monde. Dites à l'Amérique qu'elle est une lâche et servile spécialiste du coup de poignard dans le dos, parce qu'elle n'est pas capable, n'a jamais essayé, d'exercer sa volonté sans violence. Et parce qu'elle est lâche, elle ne respecte pas la raison. L'Amérique n'a recours à la raison qu'en *dernier* ressort, quand elle cherche à persuader, et seulement quand elle a tenté en vain de détruire un homme, quand il est trop tard.

... Les Américains qui hier avaient honte d'avoir servi au Viêt-nam disent maintenant : « J'ai combattu pour mon pays » (!!!???). Ils en sont *fiers* maintenant. Fiers d'avoir tué, torturé, mutilé, un peuple délicat comme une poupée, dont le type adulte moyen est un homme de moins de quarante-cinq kilos, de moins d'un mètre cinquante-cinq, qui est généralement végétarien et pratique cette forme fragile d'innocence sexuelle qu'on appelle « amour libre » en Occident. Fiers d'avoir défloré un peuple doux et beau.

... C'est une grande distraction américaine de dire à quel point la justice soviétique est horrible — et pourtant l'Amérique est *pire* que l'Union soviétique. Surtout parce que personne dans ce foutu pays ne nous aide ou ne se contrefout pas de ce qui nous arrive. *Ce pays* est le plus injuste et le plus oppressif du monde entier, et je ne vais pas entrer dans des détails et comparaisons pour avocaillons. Je ne vais pas « défendre mon cas » selon leurs règles à eux. Je suis totalement convaincu — et je ne *crois* pas que j'aurais souffert de plus grandes injustices que celles dont j'ai souffert ici toute ma vie, dans n'importe quel pays au monde.

Si j'ai tort, montrez-le-moi. C'est ce que je dis depuis dix ans : *aidez-nous.* Faites entrer la justice dans ces tribunaux, ces prisons, ces pénitenciers.

... En prison, si l'on me demandait la cause unique la plus fréquente de déséquilibre mental chez les prisonniers, je vous dirais avec la plus grande assurance : l'injustice.

D'abord et avant tout, *l'injustice des lois et des tribunaux de ce pays.* L'injustice de l'administration pénitentiaire serait supportable si c'était la *seule* injustice.

Je peux le dire comme une maxime : quiconque en prison a foi en la possibilité de réparer l'injustice qui lui a été faite en faisant appel à la jurisprudence américaine deviendra fou à moins qu'il abandonne et *refuse* de croire qu'il y a une once de justice dans n'importe quel tribunal ou prison en Amérique. Cela ne s'applique pas à tous les pays. Je dois souligner cela. L'Amérique est *loin* d'être « universelle ».

Si j'ai un *animal* à qui j'ai appris à se tenir debout sur ses pattes de derrière et à faire le beau et qu'il ne le fait pas, je dois le *punir* d'une façon ou d'une autre pour lui apprendre à obéir à mes ordres.

J'inflige de la douleur. Je peux le faire par la privation aussi bien que par le fouet. Toute autre façon de lui apprendre à *toujours* obéir, l'animal l'enregistrerait comme une *récompense* pour avoir désobéi. Cette utilisation de la force peut se faire humainement. Je ne peux *blesser* l'animal et continuer à être humain.

Si j'use de la force à un degré tel que cela s'appelle de la violence, alors je veux la destruction de l'animal, et pas seulement la correction d'une habitude de désobéissance.

Jusqu'ici, personne ne peut m'opposer le contraire.

Je peux apprendre à l'animal à se tenir debout et à demander en lui donnant des récompenses. Mais si à un certain point ou pour une raison quelconque il n'obéit pas correctement, ne se tient pas bien sur ses pattes de derrière et ne fait pas le beau, je peux le confier à un dresseur. Dans ce cas, je dis au dresseur ce que l'animal *sait* mais ne fait pas sur commande. Je demande qu'il lui apprenne à obéir à mon commandement de se tenir sur ses pattes de derrière et de faire le beau.

Si je néglige de faire cela, si je confie simplement l'animal à un dresseur, il pourra lui apprendre tout sauf ce qu'il faut pour répondre au commandement de se tenir sur ses pattes de derrière et de faire le beau.

L'animal apprend que toute souffrance qui lui est infligée par la personne qui le nourrit et l'entretient, est une souffrance qu'il s'inflige à lui-même pour avoir désobéi. S'il n'assimile pas cette « leçon » de souffrance auto-infligée, il ne reste d'autre recours que l'application de la violence afin de *détruire* l'animal. De le tuer. Il se *défendra* avec violence, il deviendra fou de colère, puis renfrogné. Il se dressera sur ses pattes pour se battre ou il fuira. Il fera tout cela s'il n' « apprend » pas que sa douleur, il se l'est infligée lui-même.

Ne me demandez pas le rapport de tout cela avec la justice américaine : c'est l'essence du système judiciaire américain.

Un prisonnier commence son « dressage » dans un tribunal américain. On lui dit de la fermer sauf si on lui adresse la parole. On lui dit qu'il est un imbécile s'il essaie d'être son propre avocat. On lui dit que ses motivations ne sont pas le sujet de son inculpation.

Son avocat commis d'office lui dit quelle loi il a violée et à combien d'années de prison s'élève la peine. On lui dit que s'il parle et trahit son ami, il bénéficiera de la clémence du tribunal. S'il est le seul a être accusé du crime, on lui dit que s'il aide à résoudre d'autres crimes, il pourra bénéficier de clémence. On lui dit que parce qu'il sait l'heure qu'il est, le jour de l'année et qu'il est en prison, il ne peut prétendre être dément. Il importe peu qu'il ne sache ni lire, ni écrire, ni comprendre le vocabulaire ou les usages du tribunal. Il importe peu de savoir pourquoi il a cambriolé un magasin — puisqu'il l'a cambriolé.

S'il n'y a pas eu de violence et s'il a un certain niveau d'aisance matérielle qui le place au-dessus du besoin de cambrioler un magasin, il bénéficiera d'une certaine forme de clémence si c'est sa première inculpation pour crime. Il *ne sera pas* envoyé en prison.

Mais il *ira* en prison s'il n'a pas le niveau d'aisance matérielle qui le place au-dessus de la nécessité de commettre un tel crime. Il est envoyé en prison s'il est pauvre. C'est-à-dire, s'il est pauvre et refuse d'agir pour le compte de la police (ou ne le peut pas) en trahissant ses amis et en trouvant le coupable d'un crime qu'ils ont commis.

Si son avocat l'aime bien, il marchandera avec le plaignant et le juge pour obtenir une peine de prison aussi courte que possible. Si son avocat ne l'aime pas, il ne fera pas un tel effort. En Amérique aujourd'hui, plus de 85 % de tous les accusés qui vont en prison ont plaidé coupable.

Dans tout ceci, le prisonnier n'apprend jamais aucune valeur sociale, n'apprend jamais la définition de la loi ou des coutumes de sa société sur lesquelles le système judiciaire prétend qu'elle est basée.

Tout droit qu'a le prisonnier se retourne contre lui. S'il choisit de plaider non coupable afin d'être jugé par un jury, il recevra, s'il est déclaré coupable, la peine maximum prévue par la loi pour avoir dérangé tout le monde, pour avoir fait perdre le temps de tout le monde. Le jury composé de ses pairs reçoit pour seule instruction de réclamer un acquittement si le gouvernement ne peut pas prouver que l'*événement physique* a eu lieu. On dit au jury que les motivations du criminel sont, par essence, hors de propos. On ne dit *jamais* au jury qu'il peut acquitter pour n'importe quelle raison. On *intimide* le jury pour qu'il croie qu'il violerait lui-même la loi s'il agissait autrement. Pourtant il ne peut acquitter que par sympathie personnelle envers l'accusé. Aucun des raisonnements bien affûtés, bien spécieux des avocats et des juristes érudits du monde entier ne peut réfuter cela. C'est un fait.

Des hommes ont plaidé coupables pour meurtre et ont été exécutés sans que personne leur ait jamais posé cette simple question : « Pourquoi ? » Dans aucun autre pays de cette planète il n'existe aujourd'hui de telles injustices. Il n'existe de tyrannie aussi profonde dans aucun autre pays que l'Amérique.

On croit généralement dans ce pays que la punition *se termine* avec la sentence et l'envoi en prison. C'est-à-dire qu'on n'inflige pas au prisonnier de punition supplémentaire pour le crime commis, pendant qu'il est en prison. Ce serait être « accusé deux fois pour la même chose ». C'est ce que dit la loi. Pourtant il y a deux Noirs qui ont été envoyés en prison, il y a dix ans, alors qu'ils étaient adolescents et le juge a ordonné qu'à chaque Noël le directeur les place en isolement jusqu'au premier de l'an — et c'est ce qui est fait. Voilà l'esprit de la justice américaine.

Le prisonnier arrive en prison. Il est projeté dans un ouragan de destruction morale, mentale et physique.

Le gouvernement aime à faire valoir que la peine capitale est maintenant pratiquement non existante. Le gouvernement aime à faire valoir que seulement deux ou trois hommes sur plus de deux cents millions de citoyens ont été exécutés dans les vingt ou vingt-cinq dernières années.

Pourtant plus de prisonniers sont assassinés aujourd'hui dans les prisons américaines que dans aucune autre prison sur terre. 10 % environ des prisonniers de l'Amérique sont grièvement blessés ou assassinés chaque année. Tous les jours de leur vie, tous les prisonniers doivent exister avec la menace *imminente* d'être attaqués, au *moins,* et la menace vient de tous les côtés.

… La *condamnation* à la prison est la punition judiciaire. Un homme est envoyé en prison pour *x* années. Il reste donc en prison *x* années, puis la loi le relâche. C'est supportable parce qu'il peut mesurer la sentence, quelque insupportables que soient les conditions d'incarcération. S'il y laisse un œil ou une main, il en sort malgré tout.

Mais quand la condamnation prononcée est d'une durée indéterminée, il est recondamné à une autre peine chaque fois qu'il en prend l'envie à un maton. Chaque fois qu'il est puni pour des « infractions aux règlements » de la prison — qui sont aussi arbitraires que la direction des vents — il est en fait *recondamné* à la prison devant la commission des libérations sur parole.

Il n'existe pas de procédures devant cette commission qui lui garantissent un « procès dûment légal » — et cette mystérieuse expression juridique ne veut rien dire d'autre qu'une *garantie de justice.*

Comment un prisonnier compte-t-il le temps qu'il doit faire en prison si on ne lui en a pas fixé la fin ? Si c'est une condamnation à vie, il y a une fin. Un prisonnier peut même faire face à l'idée qu'il mourra en prison — mais par un heureux hasard il sera peut-être libéré avant la fin de sa vie.

La relation de l'esprit au temps est *fondamentale.* Que peut penser l'esprit quand le destin de l'homme a été réduit à un tel degré d'incertitude qu'il ne peut prédire le jour ou l'heure qui vont suivre ?

Le jour ou l'heure qui vont suivre peuvent se terminer par l'annihilation certaine de la limite (momentanée) que la loi a en principe placée à son emprisonnement, sa punition.

Il peut violer une de ces réglementations médiocres et mesquines des prisons à tout moment et faire complètement basculer la balance. Et aussi (ce qui est plus important) faire basculer la « balance » de son esprit. L'un des plus grands philosophes et hommes de science du monde a dit que l'esprit humain n'est conscient d'une progression dans le temps que *parce qu'il sait compter* (Kant).

Que se passe-t-il lorsque l'esprit fait l'expérience d'une progression quantitative qu'il ne peut compter en unités de *temps* — pour la bonne raison qu'à tout moment l'esprit doit recommencer depuis le début le processus de comptage parce qu'il s'est produit des événements si capricieux et si arbitraires que même leur caractère incertain ne peut être calculé ?

... D'ici à là-bas il y a cinq ans. Chaque jour qui passe réduit l'intervalle entre mon incarcération et ma liberté, qui est là-bas, à un moment au-delà de ces cinq ans.

En tout point de cet intervalle, je suis obligé de m'arrêter et de recommencer à compter tout depuis le début, encore et encore.

Pendant près de vingt ans j'ai dû m'arrêter et recommencer plusieurs fois. Et je ne purge *pas* une condamnation à vie. Je n'ai qu'une peine *indéterminée* de dix-neuf ans minimum — pourtant, j'ai fait, à ce jour, dix ans de cette peine. Mais ce n'est pas tout. Je suis maintenant en prison depuis dix-huit ans parce qu'avant que je commence à compter mon temps « fédéral », j'avais tiré huit ans en prison d'État.

Mais la commission des libérations sur parole affirme que je n'ai fait que dix ans de prison. Elle refuse de « reconnaître » la réalité — parce que j'ai été libre *une fois* depuis janvier 1963 : je me suis *évadé* et j'ai passé six semaines comme un fugitif avant d'être réincarcéré. Pourquoi ai-je fait aussi longtemps ? Parce que je n'admets pas que j'aie, moi-même, tiré le verrou. D'autres m'ont enfermé ; j'ai été envoyé en prison contre ma volonté et je suis maintenu en prison contre ma volonté. Quelle autre signification ont donc ces barreaux autour de ma cage ou ces tireurs qui montent une garde constante dans les miradors qui ponctuent les hauts murs qui entourent cette cage ? Et ils aiment dire que je ne perçois pas la *réalité !*

Je dois, soit admettre que je dois tirer dix-neuf ans jour pour jour, soit me résigner à devenir fou. Je ne peux donc pas « croire » les promesses affolantes selon lesquelles moi, comme tous les autres, je sortirai libre avant la fin de tous mes jours en peine « indéterminée ». La seule manière pour un homme de vivre avec lui-même en enfer est d'abandonner l'espoir — parce que dans la société chrétienne la prison n'est rien d'autre que la représentation de l'enfer après la mort...

Dans le système judiciaire américain, quiconque est envoyé en prison meurt de sa *mort civile.* Les spécialistes du droit américain se moquent de cela aujourd'hui et disent que cela appartient au passé. S'ils sortaient leurs têtes de leurs bouquins et regardaient un instant au-delà des « faits » et événements officiellement entérinés par les tribunaux, ils s'apercevraient que la mort civile est très en vigueur dans toutes les prisons américaines.

Comment cela ? C'est si simple qu'un enfant comprendrait. Il n'existe pas de *relation* légale entre les prisonniers et *toute* relation *sociale* entre les prisonniers qui n'est pas contrôlée directement — une relation sociale « forcée » — par les matons est en infraction aux règles. C'est de l'insubordination.

Il n'y a aucune dette qu'un prisonnier contracte auprès d'un autre qui ne viole quelque réglementation. Des réglementations sévères. Aucun prisonnier ne peut faire valoir une obligation envers d'autres prisonniers sans déclarer la guerre.

... Il y avait un prisonnier nommé Blackie ; durant une émeute il prit quatre gardiens en otages et les retint jusqu'à la répression du soulèvement. Au cours d'une bataille où étaient engagés des centaines de gardiens armés, un gardien fut poignardé à mort et beaucoup hospitalisés pour blessures.

C'était un de ces pénitenciers dans lesquels les gardiens

avaient pris la mauvaise habitude d'attaquer les prisonniers au hasard. Quand ça les prenait, personne n'allait au mitard sans être battu avant d'être jeté dans la cellule. Un jour, les gardiens tuèrent un prisonnier et il y eut une émeute massive.

Pour se défendre, Blackie prit des otages en plein milieu d'une bataille rangée. Il exigea que la presse entre dans la prison et entende les griefs d'un comité composé de trois hommes de chaque race, et il exigea ma libération du mitard dans cet objectif.

Les media d'audience nationale ne furent pas autorisés à pénétrer dans la prison. Au lieu de cela, on introduisit deux petits journalistes de province. Nous étions neuf, et nous leur fîmes part de nos réclamations jusqu'au petit matin, et Blackie libéra les otages indemnes.

Plus tard on l'emmena dans une centrale à côté de la prison et personne ne le revit jamais vivant. On a dit qu'il s'était pendu à son lit en fer, avec sa chemise. Pour beaucoup de raisons personne n'y crut. Blackie faisait un mètre quatre-vingt-cinq environ. Il était en prison depuis dix-sept ans et il aimait la vie, en particulier la sienne.

On ne lui fit pas d'autopsie et les seuls témoins de sa mort étaient des gardiens. C'est d'ailleurs eux qui écrivirent le premier rapport du décès.

Un jeune interne vint me voir pendant le déroulement des procédures légales à la ville et me parla en chuchotant à travers l'écran de la cellule.

Il avait aperçu le corps de Blackie à la morgue, et me révéla qu'un sillon de deux centimètres de profondeur entourait sa gorge ce qui signifiait que la corde avait subi une pression excessive. L'interne se spécialisait en médecine légale et était un expert.

La « loi » dit que les prisonniers ne peuvent être enterrés sans au moins une autopsie. Mais Blackie n'avait pas de famille. J'essayai de le faire exhumer pour une autopsie et présentai un recours auprès du tribunal avec l'aide d'un avocat. Le tribunal, quand il finit par rendre son jugement, « admit » que si Blackie n'avait jamais eu d'autopsie, il n'y avait pas lieu d'entamer une action, puisque je n'étais pas un de ses parents et que je n'avais pas de réclamation légale à faire valoir à son égard. J'essayai de contourner cet obstacle en présentant la preuve que Blackie avait une dette envers moi, et que sa mort provoquait une perte financière que l'État devait payer si l'on découvrait que la cause de sa mort n'était pas le suicide. Le tribunal jugea qu'un prisonnier ne peut avoir d'obligation d'aucune sorte envers un autre prisonnier.

Comment vais-je le faire sortir de sa tombe ? Comment vais-je lui faire rendre justice ?

Tant que je ne suis rien d'autre que le fantôme d'un mort civil, je ne peux rien faire...

La réforme des prisons qui se déroula sur vingt ans — de 1960 à 1980 — n'a jamais réussi à établir la constitutionnalité des *droits des prisonniers*. Elle s'est arrêtée aux *droits civiques* des individus.

Aujourd'hui, elle a des conséquences que peu d'entre nous osent envisager.

Quand le mouvement de réforme des prisons commença, tout ce qu'un détenu avait besoin de faire était d'écrire à un juge pour lui demander de l'aide. Les tribunaux eurent le bon sens de *supposer* qu'il y avait un antagonisme fondamental entre un prisonnier et ceux qui le gardaient en prison, aussi les tribunaux ne mettaient pas en cause une plainte formulée en dehors du tribunal.

Aujourd'hui, les tribunaux n'acceptent même pas une requête d'ordonnance d'*habeas corpus* à moins que le prisonnier n'envoie un droit de dépôt ou une déclaration sous serment d'insuffisance de ressources — et c'est vers l'employé de la prison chargé de faire prêter serment que le prisonnier sans le sou doit se tourner. Il est obligé d'obtenir la coopération de la prison pour porter plainte contre la prison.

Les tribunaux sont revenus au principe du « bas les pattes » en ce qui concerne la prison et toute question qui pourrait soulever un aspect des *droits du prisonnier* (par opposition aux droits civiques individuels garantis par la Constitution). C'est pourquoi les tribunaux ont même adopté ce principe du « bas les pattes » envers les *prisonniers.*

On nous a remis aux policiers pour qu'ils nous traitent exactement comme il leur plaît. Je n'ai jamais lu ni entendu une déclaration véridique de la bouche d'un policier sur la condition d'un prisonnier, et celui qui a la moindre curiosité sur la mentalité des policiers n'a besoin que de la plus vague notion de ce qu'est un fasciste, un *fasciste au sens politique,* pour connaître quelques idées de policier sur le patriotisme et la démocratie. Pour un prisonnier, les policiers sont la loi. La moindre fantaisie d'un maton arriéré est la loi pour le prisonnier aujourd'hui. Un prisonnier peut être assassiné, accusé à tort de crimes qu'il n'a jamais commis, torturé jusqu'à ce que sa vie ne tienne plus qu'à un fil, et tout ce que l'on demande à un maton c'est de déclarer purement et simplement qu'il n'y a pas eu malveillance de sa part. Rien de plus.

Quand j'étais à Leavenworth, un grand jury de Kansas City (Kansas) prononça une mise en accusation contre moi pour un crime qui est puni de dix ans : port d'arme dangereuse. Savez-vous ce que c'était ? C'était un *stylo* — un de ces longs stylos BIC. Il manquait la petite boule et ils décidèrent donc que je l'avais suffisamment modifié pour en faire une arme dangereuse au mitard. (J'ai une copie de la mise en accusation ; si vous ne me croyez pas, je me ferai un plaisir de vous l'envoyer. J'ai été traduit devant un juge, et l'accusation concernant le stylo a été abandonnée seulement après que j'ai été déclaré « dément » sur un autre chef d'accusation.)

... La loi n'a jamais puni personne de m'avoir fait mal. Si je veux que la justice punisse quelqu'un pour un mal qui m'a été fait, c'est entièrement mon affaire. Imaginez-vous un peu dans cette situation en plein New York. Vous ne pouvez pas appeler un flic ni personne quand on cambriole votre maison, quand vous venez d'être attaqué en pleine ville. Les policiers entrent chez vous, vous filent des baffes (pour rester en dessous de la vérité) et se servent comme ils veulent. Même de votre femme et de vos enfants. N'importe qui là-bas à New York peut vous accuser de n'importe quoi, vous êtes puni sans même savoir qui vous accuse. Vous n'avez absolument aucun droit à une protection légale. Au mieux, vous pouvez déposer une plainte civile contre la municipalité. On « tape sur les doigts », c'est tout. Les « tapes sur les doigts », voici comment cela se passe. Le juge dit : « Alors, monsieur le Maire (ou monsieur le Directeur) j'espère que cela ne se reproduira pas. » Et c'est tout. Le maire ne se donne même pas la peine de répondre à « l'admonition ». Il se lève, s'étire, bâille et s'en va à grandes enjambées. Tous les visages qui vous entourent, même celui du juge, sont narquois. Voilà. C'est comme ça que j'ai dû vivre toute ma vie.

Que feriez-vous ? Je vous assure, vous deviendriez un trouillard détraqué ou l'opposé exact. Dans le premier cas, tout le monde est content et on vous donne des petites récompenses. Dans le second cas, ils vous détruiront à la moindre occasion. Ils diront que vous êtes « dingue », parano, etc. La « norme » dans cette situation, c'est le trouillard.

Devenir rééduqué veut dire accepter les valeurs de votre société et vivre selon elles. Cela nécessite non seulement de croire aux lois et aux coutumes de votre société, mais d'avoir foi dans les êtres qui composent cette société — et de *développer* ces valeurs, de *reproduire* cette foi dans vos rapports sociaux avec les autres. Rééduquer quelqu'un est un processus d'enseignant. C'est un processus d'apprentissage par expérience pour l'homme qui a besoin d'être rééduqué. Il demande à connaître les bénéfices des valeurs de cette société, il réclame une compréhension solide des utilisations correctes des lois et coutumes de sa société.

Seul un homme qui est une anomalie sociale peut ne pas réussir à poursuivre ses propres intérêts, surtout quand la voie est dégagée devant lui, car un tel homme *connaît* les valeurs de sa société, et ses lois et coutumes.

Le système de la justice en Amérique enseigne ces leçons aux hommes comme s'ils étaient *déjà* des anomalies sociales — comme s'ils avaient *connaissance* des valeurs, des coutumes et des lois de cette société. Cela reflète la maxime américaine : *nul n'est censé ignorer la loi.*

Ainsi la rééducation du prisonnier est présumée, et la justice américaine cherche à *punir* des hommes qui (*théoriquement*) savent ce qu'ils font.

Et qu'implique la *punition* qui vise à la rééducation ? Elle ne vise pas à se concilier les hommes par la raison — on *présume* qu'il est impossible de se concilier un prisonnier par la raison. C'est l'usage de la force.

... Un système de justice qui n'instruit pas par la *raison,* qui ne démontre pas rationnellement à un homme l'erreur de son comportement, atteint les objectifs opposés à la justice : l'oppression.

Personne, dans aucune prison de ce pays, ne s'est jamais vu démontrer par la loi le caractère erroné de son comportement. C'est une tâche ennuyeuse qu'aucun individu chargé d'administrer la justice ne veut se voir coller.

On s'en décharge donc sur la prison.

Tous les hommes qui sont en prison et ont commis des crimes peuvent être appelés criminels. Mais cela ne veut pas dire que tous ceux qui sont en prison y ont *leur place.* Je voudrais avancer qu'il y a des hommes qui sont en prison à juste titre mais qu'ils n'y *ont pas leur place.* Et il y a des hommes en prison à juste titre et qui y *ont leur place.* Peut-être la grande majorité des prisonniers y a sa place. Ils n'arrêtent pas d'y retourner. Je les ai vus venir et s'en aller, partir et revenir, pendant si longtemps que j'ai vu au moins une prison entière renouvelée. Pratiquement chacun d'eux (en fait, *chacun* de ceux que j'ai vus) se sent soulagé d'être de retour. Ils ont besoin de se raser et de se doucher ; ils sont maigres, ils ont l'air affamés quand ils arrivent du dehors. *Au bout d'une semaine* ils ont les joues roses, l'air impeccable, et parlent à tout le monde. Ils rient beaucoup (« Eh ! salut mon pote ! »). Ils collent à la prison. Ils sont bien là. Ou, pour être charitable — parce que si les hommes poursuivaient leur intérêt véritable, personne n'a vraiment sa place en prison — je dirais qu'il y a moins d'incertitudes dans la vie en prison qu'au-dehors. Ce n'est pas si simple qu'on puisse dire qu'ils sont devenus institutionnalisés par *habitude.* Ce n'est pas cela. La prison est bien plus qu'une habitude pour les hommes dont c'est la place.

Voici ce dont il s'agit : il y a des hommes — ils ne sont pas nombreux, mais il y a des hommes que la prison punit, et punit plus encore chaque jour, parce que leur place n'est pas en prison.

Laissons de côté la question de savoir où est véritablement leur place ; ce n'est pas le problème. Il se trouve qu'ils ne s'adaptent pas en prison — ce n'est pas leur place. *Je parle en termes d'existence, non de justice ni de rien d'autre de tel.*

Heureusement, ceux dont ce n'est pas la place passent rarement beaucoup de temps en prison — et y retournent rarement. Mais il y a ceux qui passent de longues, très longues années en prison. Pour eux, le mitard a été créé.

Les prisons n'ont certainement pas été construites pour servir au même usage qu'une pension, une villa privée ou une communauté. J'admets que les prisons peuvent servir à rééduquer les hommes. Mais il y a des hommes qui ne peuvent être rééduqués, et la place de ces hommes est en prison.

C'est la société, non la prison, qui les empêche de se réadapter, car la réadaptation est une chose dont nous avons *tous* besoin ; la réforme de la société elle-même n'a pas encore été accomplie.

Si la société est si intolérable qu'un homme ne peut se sentir un homme qu'en prison, c'est la « faute » à la société.

Et j'avance que quelques hommes ne s'adapteront jamais à la prison : ils ont leur place dans la société ou au cimetière. Mais pas en prison.

... Personne n'est jamais sorti meilleur de prison. Je ne parle pas d'endroits comme Allenwood et Maxwell Field — où ils envoient les mouchards du gouvernement et cette fragile espèce d'individus qui tombe en disgrâce aux yeux du gouvernement, du parti républicain ou de la Bourse.

Je parle du *pénitencier*. Il y en a au moins un par État. Certains États — New York, le Texas, la Californie, le Michigan, l'Illinois — en ont au moins une demi-douzaine. Le gouvernement fédéral lui-même a plus de quarante prisons mais seulement environ une demi-douzaine de pénitenciers.

Je parle *en termes généraux*. Je ne veux pas dire que San Quentin, Walpoole, Leavenworth, Dannemora, Ramsey Farm (Huntsville) Anglola, Trenton — des prisons de ce calibre — n'ont pas leur place dans ce chapitre. Elles l'ont.

Pendant plus de vingt ans, j'ai vu des prisonniers entrer et sortir. Il n'y en a pas *un* qui, venant en prison pour la première fois, est *capable* du vaste répertoire de crimes dont il est capable quand finalement il sort de prison. Je ne parle pas des techniques relatives au perçage de coffres-forts ou aux mécanismes de meurtre. Je ne parle pas de méthode.

Personne n'apprend ces choses en prison, contrairement à ce que prétend l'État. Les prisonniers n'apprennent pas à commettre des crimes des autres prisonniers. Ils savent commettre des crimes aussi bien que vous (qui lisez ceci). Les romans et le cinéma enseignent plus sur la manière de commettre des crimes réussis que quiconque pourrait jamais apprendre en prison.

Ce qu'on leur fourre dans le crâne malgré eux c'est *la volonté* de commettre des crimes. Je veux dire qu'ils *deviennent capables* de passer à l'acte.

J'avais un passe-temps qui consistait à observer les hommes changer, à observer la noirceur envahir leur cœur. Cela se passe devant vos yeux. Ils arrivent en prison plus abasourdis qu'effrayés. Puis, à chaque pas, la peur s'insinue en eux. Ils font l'expérience des hommes et de l'administration de choses qu'aucun roman, aucun film — même pas les pires rumeurs sur la prison — ne peut enseigner. Personne n'est préparé à cela. Même les matons, quand ils commencent à travailler en prison, n'y sont pas préparés.

Tout le monde a peur. C'est une peur émotionnelle et psychologique. C'est une chose concrète. Si vous ne menacez pas quelqu'un — au minimum — quelqu'un va vous menacer. Quand vous traversez la cour ou marchez le long de la coursive jusqu'à votre cellule, vous vous faites remarquer comme le nez au milieu de la figure, si vous n'avez pas l'air impitoyablement détaché ou froid et prêt à tuer.

Très souvent vous devez « traquer » quelqu'un ou c'est vous qu'on « traquera ». Après tant d'années, vous ne bluffez pas. Personne ne bluffe.

Faute d'une meilleure expression, on peut dire que c'est l'*expérience cynique* d'une vie si *dangereuse* qu'elle vous change de telle façon que vous ne remarquez même pas le changement en vous. En cinq ou dix ans, cela devient une manière de vivre. Vous voyez des matons commettre des meurtres, et tous les employés, en commençant par le directeur de la prison, sont des complices *actifs*. C'est le moins qu'on puisse dire. Les politiciens et les juges les plus connus effacent *activement* la preuve de tels crimes. Ils sont *légion*. Vous voyez ça si souvent que c'est complètement banal.

C'est complètement banal de voir des gardiens s'assurer que des détenus qui ont juré de se tuer sont bien mis dans la même cellule. Des prisonniers qui ont déjà montré qu'ils tueraient n'importe qui. Vous les voyez se tuer comme des mouches sur l'instigation et grâce aux arrangements des surveillants.

Le clergé de la prison, le plus facile à intimider, la ferment, parce que (geignent-ils) ils ne peuvent rien « prouver », et, vous savez, le mal est effacé par le « bien » qu'ils peuvent faire s'ils ne font pas de vagues et « font ce qu'ils peuvent ». S'ils parlent, ils sont virés.

Quand vous sortez — *si* vous sortez — vous êtes capable de tout, de n'importe quel crime.

Avez-vous déjà vu un homme *se désespérer* parce qu'il ne peut se forcer à tuer ? Je ne parle pas du meurtre dans le feu d'une bataille — très rare en prison — je parle du meurtre prémédité, commis de sang-froid. Les seuls prisonniers que j'aie vus qui ne souffrent pas du désespoir d'être incapables de tuer sont ceux qui en *sont* capables (et ils sont nombreux).

La plupart découvrent — à un moment donné — qu'ils en *sont* capables. Découvrir qu'il n'y avait pas de fondement à ses angoisses sur le meurtre est un sentiment identique à celui d'un jeune homme qui doute être capable de consommer sa première rencontre sexuelle avec une femme — et quand le moment vient, s'il ne s'est pas comporté magnifiquement, du moins a-t-il fait ce qu'il fallait. On se sent plus fort.

Si vous pouvez tuer comme ça, vous pouvez faire n'importe quoi. Tous les éléments de tous les crimes entrent en jeu. Il y a la duplicité, la capacité à garder un secret, l'élaboration, la détermination, et le déroulement d'une violence bien préparée et bien administrée.

Plus important encore, vous apprenez à ne jamais faire confiance à un homme, même s'il semble honnête et sincère. Vous apprenez comment les hommes se trompent les uns les autres et comment il est impossible de les aider sans vous faire du tort.

Vous savez tout cela et plus encore, de manière parfaitement consciente, avant de sortir de prison.

Pourquoi volez-vous quand vous sortez ? Pourquoi commettez-vous des crimes que vous n'auriez jamais rêvé être capable de commettre avant d'aller en prison ? Vous avez changé tellement que vous ne vous rendez même pas compte qu'il fut un temps où vous étiez incapable de tels actes. Si vous réfléchissez, vous vous dites que vous volez parce que vous n'avez plus peur d'aller en prison. C'est parce que vous ne vous souvenez pas que vous n'aviez pas peur à l'origine.

La vérité est que *l'argent* — je veux dire la richesse de toute une vie perdue en prison — *ne peut se gagner* par un travail honnête. Le *capital* est quelque chose qui est exproprié ; *volé.*

Tout ce dont vous avez besoin, c'est d'un peu de confiance en vous — et quiconque sort de prison possède cela : il a confiance en lui-même, mais absolument aucune confiance en autrui.

Ce qui est malheureux à propos de tout cela c'est que vraiment vous n'avez pas appris à voler correctement en prison ! Alors que l'État et les défenseurs des prisons américaines vous en accusent. Tous vos talents de criminel ne vous ont pas rendu un poil plus intelligent pour cela.

La peine capitale

Quelqu'un m'a prêté un petit livre contenant une sélection de lettres écrites par Marx. J'y ai trouvé un passage sur la *peine capitale.* Je pense qu'il vous amusera.

C'est une lettre inachevée au *Herald Tribune* de New York, en réponse à un éditorial du *Times* sur la peine capitale.

Je l'ai trouvée intéressante parce que Marx dégage un lien causal dans la société entre la peine capitale et des *meurtres et suicides* insensés commis dans des conditions atroces.

L'éditorial du *Times* faisait remarquer que chaque fois qu'il y avait une exécution — et spécialement une exécution célèbre largement annoncée par la presse — elle semblait être suivie de « cas de décès par pendaison, qui peuvent être des suicides ou des accidents », dans la société.

Marx attaque ceci en disant que le *Times,* avec sa prédilection pour les pendaisons et sa foutue logique, « s'est arrêté dans l'analyse de ces phénomènes à *l'apothéose du bourreau* » — en d'autres termes, les gens imitaient le bourreau et non la victime.

Marx poursuit sa démonstration en rapportant des données rassemblées par un autre journal (anglais), le *Morning Advertiser* (un adversaire de la peine capitale et du *Times*). Les données couvrent une période de quarante-trois jours de l'année 1849, et concernent non seulement des suicides mais des *meurtres les plus affreux, survenus peu après l'exécution de criminels :*

EXÉCUTIONS DE		MEURTRES ET SUICIDES	
Millan	20 mars	Hannah Saddles	22 mars
Petley	20 mars	M. G. Newton	22 mars
		J. G. Gleeson (quatre meurtres	
Smith	27 mars	à Liverpool	27 mars
Howe	31 mars	Meurtre et suicide	
		à Leicester	2 avril
		Empoisonnement à	
		Bath	7 avril
		W. Bailey	8 avril
Landish	9 avril	J. Wards assassine	
		sa mère	12 avril
		Yardley	14 avril
		Doxey, parricide	14 avril
		J. Bailey tue ses deux enfants puis	
		se suicide	17 avril
J. Griffiths	18 avril	Chas. Overton	18 avril
J. Rush	21 avril	Daniel Holmston	2 mai
Sara Thomas	9 mai		

Marx n'a fait que dégager une relation, mais ce n'est pas lui qui a mis ces faits en parallèle (ni dressé ce tableau).

Marx souligne que la bourgeoisie prédit avec exactitude le nombre et la nature des crimes qui vont être commis sur n'importe quelle période, en s'appuyant sur un certain nombre de données — y compris le tableau ci-dessus. Le budget pour les prisons, les échafauds, les juges, etc., est calculé à partir de tels chiffres.

Marx écrit qu'il est difficile à l'esprit bourgeois de voir

qu'il est *lui-même* la *cause* de ces crimes en en créant légalement les conditions.

A cet endroit le passage se perd dans des digressions, mais Marx a mis en parallèle la cause qui établit la connexion entre les données et la raison de la compilation des données.

J'aimerais ajouter qu'à l'origine, la peine capitale était employée par la loi pour des choses que nous considérons aujourd'hui comme des délits. Un homme était pendu pour n'importe quoi, pickpocket ou vol d'un peu de nourriture. Ceci était fait à l'origine pour empêcher des infractions, et *pas le meurtre.*

Dans l'Histoire, la peine capitale apparaît avant qu'apparaissent les crimes de meurtres ou suicides atroces.

Non seulement les lois commettent les formes de crimes qu'elles « abolissent », mais quand elles en arrivent à aller contre leur objectif d'origine, elles *donnent naissance* à d'autres formes de crimes.

C'est ce qu'il est advenu de la peine capitale à travers l'Histoire.

Des hommes comme le fils de Sam sont consciemment motivés par la peine capitale. Comment qualifier autrement leur façon maintenant routinière de s'amuser avec la police en laissant des indices sous forme de devinettes et des notes pour narguer le bourreau ?

C'est comme cela qu'un esprit morbide et immature peut être affecté, ainsi que Marx le rapporte dans le passage de la lettre. Mais il y a plus.

... Ici en prison les hommes les plus respectés et les plus honorés *parmi nous* sont ceux qui ont tué d'autres hommes et particulièrement d'autres prisonniers. Ce n'est pas seulement de la *peur,* c'est du *respect.*

Tout le monde en prison a un idéal de violence, le meurtre. Derrière toutes les relations entre prisonniers il y a, omniprésent, le meurtre. En fin de compte c'est ce qui définit nos relations.

Et les « meurtres et suicides » n'ont pas toujours été, dans la société, considérés comme des aberrations. Avant que nous atteignions ce stade de civilisation, notre société ne connaissait pas *les meurtres et les suicides*. Les événements que ces termes définissent aujourd'hui n'étaient pas définis ainsi alors.

Les sacrifices rituels humains n'étaient pas plus une horreur autrefois dans notre société que la peine capitale pour nous aujourd'hui, et il y a eu des périodes de notre histoire où un homme recevait les honneurs les plus élevés uniquement par des actes que nous appelons aujourd'hui meurtres et suicides. Par exemple, il fut une époque où un homme qui avait tué son père était considéré avec respect.

... Je crois que tous les gens ressentent quelque chose de spécial, sous toutes les strates de la conscience sociale quotidienne, quand ils apprennent qu'un membre de leur société a perdu sa vie par meurtre ou suicide. Ce qui est effrayant pour l'homme ordinaire, c'est la fréquence avec laquelle ils se produisent. Cela peut le rendre fou.

On nous rappelle que n'importe qui dans la société peut facilement nous tuer, et non pas seulement que quelqu'un peut facilement être tué. La mort peut venir de partout quand les autres sont présents. Nous *apprenons* cela, à un degré ou un autre. Ce n'est pas un « instinct » : l'attente des hommes influe sur le hasard des hommes.

La notion que la peine capitale est une dissuasion au meurtre se dément elle-même devant le monde entier quand quelqu'un est réellement exécuté pour un meurtre. Elle démontre *irrévocablement* le contraire de l'objectif pour lequel la loi a été faite : les hommes qui sont exécutés n'étaient de toute évidence ni fous ni dissuadés de commettre un meurtre atroce. Le sujet (le pendu) a dominé l'objet (le *bourreau*). La seule façon d'avoir le dessus est de tuer.

... Le lien causal est l'État, parce qu'il *associe* la peine de mort avec le meurtre. La connaissance réelle (la conscience commune) ne distingue pas l'État qui exécute la peine capitale de l'apothéose du bourreau.

... Votre livre sur ce qui est arrivé à Gilmore devrait être accompagné d'un petit concert de cris dans le public, vous ne croyez pas ?

Si la société punit ses membres de mort et d'emprisonnement, pourquoi les gens sont-ils étonnés quand un *membre* de la société punit ses ennemis de « mort et d'emprisonnement » ? (*Que va ! Sauvages !*)

... Tout le monde sait que l'Amérique — comme toute civilisation moderne et industrialisée — a les moyens scientifiques pour modifier le comportement d'un homme. Vous pouvez même appeler cela « lavage de cerveau », pour parler comme un imbécile qui a passé toute sa vie à l'abri des réalités qui nous entourent. Nous pouvons « laver le cerveau » d'un homme pour qu'il ne commette pas d'autres meurtres. Le monde entier sait que nous pouvons faire cela, presque sans aucun effort : faites-le *humainement,* sans destruction.

Alors, pourquoi la société américaine *exécute-t-elle* les criminels ? Dans ce pays, exécuter un homme est sans doute dix fois plus coûteux que lui « laver le cerveau » afin qu'il ne commette jamais d'autre crime.

Il *n'est pas* plus « humain » d'exécuter un homme que de lui « laver le cerveau » quand il a commis un meurtre. Il n'est pas plus humain de tuer un homme, au lieu de faire de lui un *homme meilleur* qui ne tue pas les gens.

C'est l'argument de la civilisation contre la peine de mort : ce n'est rien d'autre qu'un *sophisme.*

Selon Marx, « la punition, en général, a été défendue comme un moyen soit d'amélioration, soit d'intimidation ». *Mais quel droit avez-vous de me punir pour l'amélioration ou l'intimidation d'autrui ?* Et d'ailleurs il y a l'Histoire — il existe quelque chose qu'on appelle la statistique — qui prouve de la façon la plus concluante qui soit que depuis Caïn le monde n'a été ni amélioré ni intimidé par la punition.

Le criminel est soit un bouc émissaire, soit le *marchand* de sa propre âme.

C'est l'essence de la forme de justice que nous connaissons aujourd'hui, en Amérique, dans la dernière moitié du xxe siècle.

Je dis que c'est le *concept essentiel* de la justice américaine moderne et je ne veux pas que vous pensiez que je dis que ce n'est que cela. Tout le monde sait que vous pouvez acheter notre justice avec une pièce de monnaie quelconque et que ceux qui se voient dénier le « libre arbitre » par les circonstances de leur position sociale (les idiots, les sans amis, les pauvres, etc.) paient le prix des crimes de ceux qui sont mieux lotis.

... Je me rends compte que je me suis complètement identifié à Gilmore. Je vous assure qu'il y a beaucoup d'hommes comme moi ; je suis loin d'être unique. Nous ne sommes pas uniques parce que nous ne nous classifions pas nous-mêmes. Les autres le font. Dans ce cas, ce sont les régimes carcéraux, les autorités. Supposons que vous alliez dans n'importe quelle prison où Gilmore et moi serions détenus et que vous demandiez à connaître tous les prisonniers ayant un certain profil, en prison ou en dehors, profil qui comprend le comportement observé (et supposé), on vous donnera un jeu de dossiers, une liste de noms, et parmi ceux-ci vous aurez toujours le mien et celui de Gilmore (et au moins huit à dix autres).

Quand Gilmore est apparu, les prisonniers avaient des principes, être un prisonnier était quelque chose d'important. C'était un temps où l'on jugeait un homme pour lui-même, pour ses propres actions. Comme un individu.

Puis commença une période de transition. Auparavant, quand on vous voyait ne serait-ce que parlant à un maton, votre vie était en danger. Haro sur le mouchard : on le tuait tout naturellement, sans histoire. Maintenant les prisons sont plus faciles, parce que les matons réalisent, je crois, l'intérêt qu'il y a à entretenir parmi les prisonniers la suspicion et la désunion.

... Dans le cas Gilmore, rien ne m'est plus facile à comprendre que son insistance à être exécuté.

Pour moi, le problème que pose Gilmore est : pourquoi a-t-il tué un employé de motel et un pompiste au cours d'une attaque à main armée alors qu'ils ne résistaient pas ? Cela m'est difficile à comprendre.

Vous ne tuez valablement comme cela que s'il y a une grosse somme d'argent en jeu. On peut penser d'après le motif que ce sera votre *dernière* attaque. Ou vous tuez comme ça, si c'est votre *première* et *dernière* attaque et si vous êtes à bout, prêt à tout.

Il était peut-être un vulgaire petit voleur, un voleur raté, mais ne serait-ce qu'au vu de son dossier vous devez lui reconnaître un certain savoir-faire, un peu de professionnalisme. Quiconque a été en prison si longtemps, autant de fois, acquiert au moins cela (vous diriez peut-être devenir « cool »).

C'est ce qui accentue le problème que me pose Gilmore. Qu'est-ce qui a pu le pousser à faire cela ? Il aurait pu au moins aller jusqu'à Salt Lake City pour voler, s'il avait peur d'être reconnu. Ce n'est qu'à quarante-cinq kilomètres de Provo.

Je ne suis pas certain de la nature de son intelligence. Je sais qu'il s'est servi de lui-même comme sujet d'expérience avec un certain sang-froid (à un moment il portait la *moitié* d'une moustache ; il se forçait à faire des choses que les hommes ordinaires ne pouvaient faire ; il était courageux).

S'il avait l'intelligence d'hommes que l'on décrit comme « nietzschéens », il les aurait tués pour des raisons expérimentales. Comme Leopold et Loeb, par exemple. D'après le peu que je sais de lui, il y avait quelque chose de morbide et de sublime dans son intelligence. Certaines sortes d'hommes encourent la jalousie des dieux. Mais si Dieu avait voulu le détruire, il l'aurait d'abord rendu fou. Même un communiste sait cela.

Je ne comprends pas pourquoi Gilmore a fait ça. Or je veux comprendre, car cela me permettrait de comprendre un peu ce qu'est le mal.

... Parfois (maintenant par exemple) je pense que Gilmore était une des nombreuses « causes » qui ont contribué à la mort de ces deux hommes et que ce sont *eux* le véritable « effet ». Parfois je pense que la cible de l' « effet » devrait être sur *eux*, et que Gilmore n'a été qu'une des nombreuses forces causales qui se sont combinées pour effectuer leur fin, leur mort.

Le problème est aussi vaste que l'autre : où est la *connexion* logique ou existentielle entre Gilmore, cause de leur mort, et l'effet (leur mort) ?

Appréhender le problème ainsi ne mène qu'à une impasse et pose plus de questions que cela n'en résout.

Je pense que dans cette affaire le phénomène « cause-effet » équivaut à des « mouvements » internes, avant tout internes. Mais prendre cette idée comme hypothèse de départ ouvre grand les portes à un tel déluge de théories psychologiques, béhavioristes et idéologiques que l'on peut à peine avancer le pied sans faire ressortir ses propres convictions intimes, parce que dire quoi que ce soit revient à prendre position parmi des « écoles de pensée » et des « systèmes » théoriques de pensée ou de conviction.

Mais je sais ceci : il n'y a rien d'aussi intime que la souffrance, surtout la souffrance humaine. Il serait très triste de dresser le catalogue des chassés-croisés de la souffrance qui conduisent à commettre de multiples meurtres.

... Quelle que soit l'ignarité qui porte mes impulsions, je m'intéresse aux débats philosophiques. Parfois je doute que quiconque possédant une tournure d'esprit philosophique soit à même de juger qui que ce soit. Car il ne comprend jamais le concept de culpabilité.

Ce n'est pas la préoccupation de la justice authentique.

La question est plutôt : est-ce que cet homme était coupable en tant que personne privée ? Pour tout un ensemble de raisons il ne pourrait être coupable dans son cœur que s'il *choisissait* de l'être. Lui seul sait vraiment. Nous ne pouvons que supposer.

Son insistance pour être exécuté paraît tendre vers cette conclusion (entre autres choses).

Si moi-même j'en étais certain et si je pouvais *accepter* sa culpabilité intime, savoir qu'il était innocent avant, suffirait à l'acquitter à mes yeux, mais je ne suis pas sûr moi-même qu'il doive être intimement coupable en raison de la douleur qu'il a dû souffrir au cours de sa vie, douleur provoquée uniquement par les intentions consciemment mauvaises de l'institution pénale dans notre société.

C'est difficile d'atteindre à la vérité des hommes. Il y a un tas de « vérités » générales, mais la vérité est toujours quelque chose de spécifique. Pourtant, je ne veux pas laisser l'impression que je pense qu'au fond l'homme est vulgaire, et cependant je suis sûr que vous savez que je pense que c'est le contraire qui est vrai. Au fond les hommes ont des principes, les vulgarités sont acquises. Quand je dis « ont des principes », je ne veux pas dire qu'ils sont « innocents » ou « pleins d'amour et de bons sentiments ». Je veux dire qu'au fond les hommes font ce qu'ils pensent et ressentent comme « juste » — que ce soit bien ou mal. Cela signifie qu'en fait, les hommes ne sont pas *faibles* et je ne dirais jamais, pour justifier un dérapage de principes, « je ne suis qu'un homme » — comme si c'était une sorte de justification à la faiblesse, la faiblesse morale. La chair et le sang sont beaucoup plus forts que ne le croient les imbéciles.

Quand Marx identifiait la « Sainte Famille » avec les rêves de l'homme du paradis « sur terre » il impliquait que les rêves prendraient fin si ce paradis venait à exister. Il impliquait que la conquête de l'univers est la condition *sine qua non* de la conquête du côté sombre de l'homme, de ses instincts, de rien de moins que l'*inconscient*. Aujourd'hui on doit commencer par étudier non pas l'esprit inconscient mais le monde, le monde matériel — chose que les freudiens ne peuvent absolument pas comprendre. L'univers obéit à des lois, à une grande variété de lois, mais les imbéciles pensent que cela veut dire que les hommes *ne sont pas* nés libres et n'ont pas de libre arbitre, alors qu'en réalité cette même croyance fait des hommes des esclaves parce que ce n'est qu'en connaissant ces lois et ces principes que les hommes peuvent les utiliser au lieu d'être aveuglément ballottés à leur merci, à la merci de l'ignorance des hommes.

Ce qui est dommage donc, c'est que ni Gilmore ni le monde entier ne savaient ce qui leur arrivait. Le niveau de civilisation que nous avons atteint ici et maintenant a été ainsi défini et illustré.

... Vous m'avez dit que Gilmore a écrit à Nicole plus de quinze cents pages en trois mois et demi. Je pense qu'elles reflétaient beaucoup de sentiments religieux. Quand on mêle la poésie et la philosophie, le résultat est mysticisme, religion. C'est une façon de « raisonner » devant un fait qui nous tient tous à sa merci, devant lequel nous sommes tous démunis : la mort. Je parie que vous pourriez presque déduire la nature de ses croyances mystiques de la nature particulière de sa mort — de faits tels que son exécution légale, concrète, son attente de l'exécution seul dans sa cellule, son désir de la *vouloir* dans les derniers jours. Ce dernier fait est sans doute le plus crucial dans la formulation inconsciente de ses croyances mystiques : créer sa propre eschatologie de même que sa propre vie après la mort, son éternité. *La vouloir.*

Seul un condamné, un vieil habitué de la souffrance devant cette forme d'angoisse particulière, pouvait si absurdement s'étendre sur ce sujet comme si c'était une conquête de sa volonté, alors qu'en réalité il ne pouvait être davantage perdu, il ne pouvait être plus asservi.

Vous ne pouvez savoir combien je me sens triste quand je comprends la source et la nature de la fierté et de l'exaltation *involontaires* que ressentent tous les détenus quand ils sont enchaînés, pieds et mains, comme s'ils étaient des lions vicieux ou de dangereux animaux. *Ils* fabriquent des tueurs avec ces chatons. C'est comme si tout d'un coup nous étions sous les projecteurs au milieu de la scène. Le monde a les yeux fixés sur nous pour un moment. Nous sommes des gens capables de tenir le monde en haleine à notre façon, même si c'est de bien piètre façon. C'est pourquoi, par exemple, le fils de Sam ne pouvait retenir ce sourire timide que cause la fierté chez les hommes très humbles, très *humiliés.* Les hommes en chaînes.

C'est cette fierté involontaire des humiliés qui était à mon avis une composante puissante des émotions de Gilmore, de ses sentiments, pendant ses derniers jours, quand le monde entier paraissait retenir son souffle pour le regarder mourir.

Nietzsche a dit des choses qui vont dans le même sens dans son « Ainsi parlait Zarathoustra , dans les vers du « pâle criminel ».

... Je relis « le Rouge et le Noir ». Ça fait au moins vingt ans que je l'ai lu pour la première fois. Je l'apprécie davantage maintenant que je suis plus vieux, et sous différents angles. C'est une des meilleures descriptions de l'*amour romantique* — la perspective romantique — qui soient. Je me suis dit en lisant les premières pages que dans cet âge existentiel, les derniers vestiges de romantisme nous paraissent être aujourd'hui (dans les rapports sociaux) de la paranoïa.

Stendhal présente inconsciemment Julien Sorel comme un homosexuel que l'on trompe depuis l'enfance, pour lui faire exprimer ses désirs au sein d'une société gouvernée par les mâles. La scène sur laquelle ils déambulent et réalisent leurs médiocres sublimations, c'est la femme. Dans ce livre, Stendhal a réussi à montrer des gens engagés dans des relations, qui ne se comprennent absolument pas les uns les autres et pourtant poursuivent leur relation. Je crois que cette incompréhension même définit clairement ce qu'a été la période romantique de notre histoire.

Les femmes de Stendhal sont en réalité des victimes de l'homme soumis à un — hilarant — sens du « devoir », mais l'une d'elles, Mlle de la Môle, prononce une « épigramme mordante » qu'aurait pu lui dicter Gary Gilmore : « Je ne vois que la condamnation à mort qui distingue un homme. » Attention ! pas la mort elle-même, mais la condamnation à mort. Je ne crois pas que la demoiselle, fille d'un marquis, savait que les hommes pouvaient être mis à mort autrement que par décision officielle.

En d'autres termes, quiconque dit que la vraie distinction de Gilmore fut dans sa condamnation à mort, est victime de l'incompréhension que j'ai signalée plus haut en la donnant comme une définition du romantisme. J'aimerais savoir ce que Gilmore pensait de lui-même à ce moment-là au moins. Je ne peux m'empêcher de souhaiter en secret qu'au moment de la mort il ait été protégé de telles illusions. Avoir tort est une chose, mais être aussi complètement dans l'erreur que tout dans l'existence vous reproche votre méprise, je ne le souhaiterai à personne (sauf aux bourgeois).

J'en ai fait moi-même suffisamment l'expérience pour ne pas le souhaiter à qui que ce soit. Je crois que je sentirai toujours le poids de cette dette, avoir à m'excuser pour certaines de mes erreurs : auprès des autres évidemment. Certainement pas auprès de la loi.

Le racisme derrière les barreaux

En feuilletant un petit livre d'extraits de Marx et d'Engels ce matin j'ai trouvé dans un passage extrait de l'*Anti-Dühring* d'Engels, la confirmation de ce que j'ai dit sur la politique américaine des *droits de l'homme* utilisée comme doctrine politique — un cri d'autodéfense, *exactement* comme la supplication d'un gardien de prison tenu en otage au bout d'un couteau par un *prisonnier* qu'il a passé toutes ses heures de travail à torturer *intentionnellement :* « Mais j'ai une femme et deux gosses ! Par pitié, ne me tue pas ! » *C'est un stratagème.*

Voici le passage :

« ... *Et il est significatif du caractère typiquement bourgeois de ces* droits de l'homme *que la Constitution américaine, la première à reconnaître les droits de l'homme, confirme dans le même souffle l'esclavage des races de couleur existant alors en Amérique : les privilèges de classe étaient proscrits, les privilèges de race entérinés.* »

Comment le racisme est-il « significatif du caractère spécifiquement bourgeois de ces droits de l'homme » ?

Tous ces droits de l'homme approuvent les doctrines idéologiques de la *Magna Carta,* qui établissait le *droit de l'homme blanc* (ordonnance d'*habeas corpus*), et la Destinée

Manifeste, qui établissait le *fardeau de l'homme blanc* (le colonialisme).

En vertu de la doctrine de la Destinée Manifeste, tout homme blanc pouvait déclarer la souveraineté de ses terres sur toute terre non européenne, sous les auspices des divers mandats coloniaux des divers pays des hommes blancs.

C'est comme cela que les droits de l'homme ont été proclamés. Par des *doctrines fondées sur le droit,* dont les prolongements législatifs se retrouvent encore de nos jours.

L'idée de base était que les races blanches gouverneraient et administreraient les affaires des races non blanches ; que les races non blanches deviendraient la source de travail et les races blanches la source du capital, c'est-à-dire la civilisation, la richesse, la culture. Elle est *toujours* dans l'air.

La théorie raciste de l'humanité s'est développée aux premiers jours des révolutions bourgeoises du XVIIIe siècle. Mais à cette époque les outils scientifiques nécessaires à une démonstration scientifique appropriée n'existaient pas. Hegel était à ce moment-là le plus systématique dans ses « preuves » empiriques de la suprématie blanche (*cf.* la *Philosophie de l'Histoire*).

La théorie raciste de l'humanité dit que les races blanches sont les plus avancées dans l'évolution de l'espèce humaine, que la structure génétique des races blanches est supérieure à celle des races non blanches — en fait elle dit même que plus une race est foncée, plus elle est inférieure à la « race humaine ». Il s'avère que la *race humaine* est la *race blanche.*

Les outils scientifiques sont les outils de l'*empirisme scientifique.* L'observation et l'expérimentation empiriques démontrent de façon concluante la véracité de la théorie raciste de l'humanité. Les soi-disant humanistes soutiennent l'idée que les races blanches devraient guider les moins privilégiés à travers un processus évolutif pour devenir *blancs.*

C'est sans doute le secret le « mieux gardé » de la

communauté scientifique bourgeoise blanche du monde entier — et cela inclut aussi les philosophes bourgeois du XXe siècle, particulièrement en Europe continentale (Heidegger est un des « pionniers » importants). Il est si « secret » que c'est tout juste s'ils en parlent entre eux. Je les imagine dans leur blouse de laboratoire blanche rencontrant le regard de l'autre et arquant le sourcil de manière significative chaque fois que l'on rassemble — ou qu'arrivent — des données nouvelles qui aident à assurer « la théorie » ! *La grande expérience* touche à sa fin ! Je l'entends d'ici. (Historiquement *la grande expérience* est le nom que les premiers idéologues bourgeois ont donné à la démocratie. Ce n'est que plus tard que ce terme a désigné les États-Unis d'Amérique.)

Les seules statistiques qui sont « en faveur » des masses noires de la société américaine sont celles qui démontrent de plus grandes « prouesses athlétiques » que les masses blanches. Mais même ceci reçoit une « explication » par le rappel de la reproduction sélective des esclaves avant la guerre de Sécession — et je l'ai entendu expliquer ainsi par des universitaires noirs d'aujourd'hui.

Il n'y a donc pas manque de preuves empiriques pour soutenir la théorie raciste de l'humanité. Les statistiques criminelles, le comportement social et économique, la réponse psychologique — la liste est sans fin. C'est *à cause* de cette liste que la théorie *aboutit à des causes génétiques*, du moins selon l'empirisme scientifique. Elle est déjà reconnue dans les prouesses athlétiques des Noirs comme une caractéristique héréditaire.

Le professeur Shockley prouva que les Noirs sont intellectuellement et mentalement inférieurs de manière *inhérente*. Il a eu le « mauvais goût » de ne pas se contenter de publier sa « découverte », mais aussi d'en parler, d'en discuter dans une *société démocratique* d'hommes « libres et égaux ». Ses « discussions » *commencent* toutes par ce qui pour lui ou ses auditeurs n'est plus contestable : l'infériorité génétique des Noirs. L'objet de ses « discussions » est de savoir quoi faire. Les conséquences pour la démocratie sont négatives, c'est le moins qu'on puisse dire.

La *seule* force scientifique au monde qui s'oppose à cette théorie raciste de l'humanité est la théorie prolétaire de l'Histoire qui s'appuie sur les outils du matérialisme dialectique scientifique.

Voici la théorie *communiste* par opposition à la théorie capitaliste bourgeoise fondée sur l'empirisme scientifique : (ceci est extrait des *Notes sur l'Anti-Dühring* et apparaît également dans l'appendice à la *Dialectique de la nature* d'Engels. C'est un passage de la *section (a) Sur les prototypes de l'infini mathématique dans le monde réel*) :

« ... *En reconnaissant le patrimoine héréditaire que constituent les caractères acquis, on étend le sujet de l'expérience de l'individu au genre ; l'individu seul qui a dû faire l'expérience n'est plus nécessaire, son expérience individuelle peut être remplacée, dans une certaine mesure, par les résultats des expériences d'un certain nombre de ses ancêtres. Si par exemple parmi nous les axiomes mathématiques paraissent* aller de soi *pour tout enfant de huit ans, et n'ont pas besoin d'être prouvés par l'expérience, c'est uniquement le résultat de « l'héritage accumulé ». Il serait difficile de les enseigner par une démonstration à un bushman ou Noir australien...* »

L'expérience accumulée d'un certain nombre d'ancêtres — pour reprendre la terminologie d'Engels — est double : les traditions culturelles externes d'une société, qui incluent les livres, les outils, les mythes, etc., et l'expérience acquise.

La *perception* est fondée sur ces deux domaines d'expérience pour devenir la connaissance consciente (la logique est un des aspects de cette connaissance).

Ce qui *va de soi* ne requiert pas de preuve, pour la simple raison que cela *ne peut être mis en question* par quelqu'un pour qui cela *va de soi*. Et finalement qu'est-ce qui va de soi ? Le monde va de soi. L'existence de l'individu même va de soi.

Ce sont les deux choses dont un cartésien ne *pouvait* pas douter, pour ce qui est de son expérience du monde externe. Il ne pouvait douter non plus de la perception mathématique sur laquelle il a si magnifiquement médité. Descartes était un Blanc, un Européen.

La théorie communiste dit que le *préjugé* est un obstacle à l'*intelligence ;* elle dit que l'attitude du bourgeois envers le monde est un préjugé et que l'empirisme scientifique n'est que le fondement de la *science bourgeoise* et pas de la science en général. Elle dit que l'isolement culturel et généalogique est la *mort* de toutes les civilisations et l'Histoire l'a abondamment démontré.

... Une maxime dit que l'on trouve les individus les plus forts moralement et les plus intelligents d'un peuple opprimé sur les échafauds et dans les prisons des oppresseurs.

J'ai passé une vie dans les prisons avec des Indiens américains, des Mexicains et des Chicanos, et des Américains noirs. Sans aucun doute tous les prisonniers non blancs que j'ai connus se débattent avec une conscience révolutionnaire du monde — mais les plus cohérents, les plus tenaces, sont les prisonniers noirs. Je les ai vus si radicaux dans leur perception critique qu'ils ne peuvent — ne *veulent* — comprendre ne serait-ce qu'un paragraphe de langage conceptuel dans un livre. J'ai appris très tôt qu'ils n'apprennent *jamais* par cœur tout ce qui concerne le monde de tous les jours. Ils ne veulent pas encombrer leur esprit avec une « connaissance » (mémorisée) qui ne va pas de soi pour eux. Je les ai entendus évoquer les « principes » les plus abstraits et apparemment les plus universels et dire avec condescendance : « C'est un préjugé ! » — et s'en tenir là. J'admets que cela m'a exaspéré surtout parce que l'on sent toujours un certain degré de véhémence et d'hostilité dans leur manière, quand ils font de telles déclarations.

Les crétins n'ont pas de telles opinions. Les hommes de faible intelligence ne deviennent pas enragés devant une injustice ; ils ne mettent rien en question et acceptent tout ce qu'on leur dit ou leur fait.

... Et d'où est venue cette culture européenne « sacrée » ? Elle est venue comme *héritage culturel* des civilisations romaine et islamique. La culture européenne s'est fondue en une « entité » distincte par le rassemblement de nombreuses races, de nombreuses « entités » généalogiques et culturelles. Elle a commencé comme une culture indépendante, spécifiquement européenne, disons durant la période que nous appelons la *Renaissance* (du XIVe au XVIIe siècle). L'Islam et Rome ont connu une histoire similaire du rassemblement de nombreuses cultures et de nombreuses races. Il en va de même pour la Grèce ancienne, l'Inde et la Chine. C'est également vrai des Mayas et des Aztèques sur le continent américain.

Que le monde fût rond ou non n'est devenu une question qu'après qu'il cessa d'être *évident* qu'il était carré (ou « plat »). Que le monde ait été ou non le centre des révolutions de l'univers — les « lumières dans le ciel » — n'est devenu une question qu'après qu'il ne fut plus *évident* qu'il en était ainsi. La liste des exemples dans l'histoire européenne est longue.

Revenons sur le premier exemple, « le monde est plat ». C'était autrefois tout à fait évident ; personne dans cette culture n'en doutait. Il y avait dans cette affirmation une « certitude ressentie » qui interdisait que l'on en doutât vraiment. Il en découlait toute une vision du monde, toute une masse de connaissance. Il avait la *rigidité d'un préjugé populaire* — et c'est exactement ce en quoi consiste un préjugé. Quiconque pensait que ce « fait » *fondamental* n'allait pas de soi était dépourvu d'intelligence et considéré comme un imbécile (à cette époque, il n'y avait pas de distinctions subtiles comme idiot, crétin, etc.). *Seul* un peuple généalogiquement et culturellement distinct avait la capacité de mettre en question le fait fondamental que le monde était plat. Seuls ceux pour qui cela n'*allait pas de soi* pouvaient le faire. Seuls, par conséquent, les *imbéciles* pouvaient le faire !

Dans une société pour laquelle le monde est plat — et *toute* société présente dans les domaines culturel et racial un retard du même ordre — toute connaissance du monde qui nie que le monde soit plat est erronée : un exemple d'ignorance ou de quelque défaut mental.

Dans la société américaine (européenne) les tests d'intelligence ne sont pas seulement *de* culture européenne, ils font partie des traditions culturelles européennes. Ces tests n'aboutissent à rien d'autre qu'à démontrer à quel point le préjugé est devenu rigidité populaire.

Dans la culture européenne les individus qui se sont distingués comme de véritables génies créateurs artistiques sont ceux qui ont été capables de *transcender* les préjugés et barrières culturels. Aucun test d'intelligence scolaire ne pourrait jamais découvrir — sauf négativement par la mise en échec du test — la haute qualité de telles intelligences.

Dans *toute* société au monde, les hommes les plus sages ont toujours dit, d'une manière ou d'une autre, que ce n'est qu'après avoir mis de côté tout ce qu'ils avaient appris à l'école ou à l'université qu'ils ont commencé à se servir de leur intelligence.

... Ce que reflètent les tests d'intelligence européens, *d'une manière générale,* est une forme de connaissance évidente appelée connaissance *mathématique.* Sa *logique* est fondamentalement mathématique. Les *opérations* de quantité et leurs relations (dans les formules) sont toutes des choses qui *vont de soi.* Il va de soi que si A = B et B = C, A = C.

Le quotient intellectuel lui-même est une façon de juger mathématiquement le degré de rigidité (dans l'esprit populaire) des axiomes mathématiques évidents. *Rien de plus.* Cela veut dire que les individus les plus passifs, les plus obséquieux — en fin de compte ignorants et dépendants — de notre société obtiendront le chiffre le plus élevé.

Il n'existe pas de test d'intelligence « dé-culturé ». Même si la méthode mathématique est employée et si le quotient est un rapport entre l'âge *génétique* d'un peuple donné (substitué à l'âge chronologique de l'individu) et l'âge *culturel* de ce peuple (substitué à l'âge mental de l'individu) il n'en reste pas moins que la quantité de réponses positives et négatives (« faux » et « vrai ») *crée* un jugement mathématique des valeurs des qualités — valeurs qui ne sont *pas* mesurables quantitativement.

Les *machines* peuvent calculer. La faculté de calculer est donc la forme *la plus basse* de l'intelligence. Tout ce qui doit être appris par cœur est *préjugé ;* ce n'est pas la connaissance. La connaissance est quelque chose qui a un aspect subjectif, une signification intime aussi bien qu'extérieure. Le claquement d'une baguette de bois dur sur le derrière d'un écolier n'est pas *l'expérience* appropriée pour informer son intelligence — et le premier couillon venu devrait savoir cela. Tout ce qu'on lui enseigne, c'est ce qu'on enseigne à un chien : *obéir.* On ne lui apprend pas à *comprendre* ce qu'il fait quand il obéit — même si on dit que son obéissance s'appuie sur « la tendresse et l'amour » — à moins que l'imbécile qui le fouette pense qu'*x claquements* sur le derrière est ce qui compose le chiffre arithmétique *x...*

Mais ceci est la *meilleure* illustration : en réalité (car je soupçonne que le chiffre *x* soit peut-être précisément composé de *x* claquements !) on enseigne au gosse (*à coups de fouet*) ce que sont les *concepts,* ce que sont les *choses,* plus souvent que ce que sont les mathématiques.

En le *fouettant,* on lui enseigne ce qu'est l'histoire, ce que sont des idéaux tels que la justice, l'égalité, etc., ce que sont la passion et la poésie. Le gosse est puni afin qu'il apprenne — un poème ! Puni pour « savoir » ce qui est vrai, bon, beau. Un gosse vraiment doué *se retournerait* contre son

« maître » (et puis ?). S'il avait un revolver, il sortirait de l'école en tirant des coups de feu comme le fit Carl Panzram. C'est ce qu'il ferait. Puis il cambriolerait probablement une banque et quitterait la ville — rapidos !

C'est ce qui a fait dire au « Chinois de Königsberg » (Kant) : « Le génie crée ses propres lois. » Même les philosophes européens ont remarqué que presque tout ce que nous prenons pour la connaissance n'est que préjugé et parti pris.

Ce qu'Engels faisait remarquer avec pertinence, c'est que nous ne démontrerions pas à « un bushman ou Noir australien » ce qui va de soi pour nous — mais qu'un bushman ou Noir australien le *pourrait* — parce que lui (et pas nous) est en *mesure* de le faire pour la simple raison que pour lui *cela ne va pas de soi.*

Et l'humanité (!) ne peut pas non plus se considérer comme elle considère d'autres espèces vivantes. « L'humanité » peut « savoir » quelles sont les meilleures espèces de blé ou les meilleures races de bœufs ou de chiens, mais seulement par rapport à elle-même (au mieux). Elle peut élever des espèces vivantes pour faire ressortir certaines qualités qu'elle recherche dans une espèce, mais elle *ne peut* élever scientifiquement les qualités qui font un *être humain* (un être humain complet, avec ses multiples facettes). Ce n'est pas parce que l'humanité ne peut produire des gens ; c'est parce que « l'humanité » n'est pas en mesure de savoir ce qu'est un être humain complet. Actuellement, nous savons que ce que nous prenions autrefois pour des caractères humains sont en fait des particularités de culture et de généalogie. Nous savons qu'en tant qu'espèce nous continuons à évoluer, et arrêter cette croissance serait arrêter notre évolution.

... Je suis entouré d'étrangers mexicains ici. Personne ne parle anglais. Je parle un peu espagnol. Certains pissent dans la douche et refusent de jeter le papier cul dans les WC — des tas de papiers tachés de merde passent devant votre cellule, poussés par le balai-brosse du détenu préposé. Les mouches arrivent en troupeaux, comme du bétail miniature qui paît à quelques dizaines de centimètres du sol. La frontière mexicaine n'est qu'à trois kilomètres.

Au Mexique — comme dans la plupart des pays étrangers — la pression de l'eau dans les tuyauteries est trop faible pour que l'on puisse jeter le papier dans les toilettes. C'est pourquoi la plupart d'entre eux, qui n'ont jamais vécu dans ce pays — et ne parlent pas anglais — ne jettent pas le papier hygiénique dans les toilettes.

Un raciste pourrait en tirer toutes sortes de conclusions. Vous voyez la relation entre l'ignorance et le préjugé ?

... Je n'ai pas toujours été en prison. Merde, j'ai été libre une fois. J'ai été libre pendant cinq mois environ — peut-être cinq mois et demi — en 1962 (*j'ai roulé ma bosse*).

J'ai *vu* le racisme hors de prison. Je n'aime pas l'injustice. Certains oui ; c'est pourquoi il faut que je précise que je n'aime pas cela. Voici quelques expériences que j'ai faites avant d'aller en prison.

Au cours de l'été de 1962, avant d'être envoyé en prison, je suis allé au Texas. Je suis arrivé à----- (Texas), en car. A la station il y avait deux fontaines d'eau potable identiques. Sur l'une, « Blancs seulement », sur l'autre « Noirs seulement ». C'était la première fois, autant que je me souvienne, que je voyais quelque chose comme cela. J'ai trouvé cela *drôle.*

C'était en juillet 1962, le mouvement de défense des droits civiques dans le Sud était passé. Je veux dire : avant qu'il soit rejoint par la forte participation des étudiants dans le mouvement contre la guerre.

Les grandes villes du Texas avaient toutes leurs districts pour gens de couleur mais dans les petites villes du pays, il n'y en avait pas. Les Noirs ne pouvaient y pénétrer sans une « excuse valable ». Après la tombée de la nuit, s'ils étaient pris dans le centre des villes, ils risquaient la mort.

Dans les petites villes du pays, au lieu d'un district pour gens de couleur, on avait ce qu'on appelait le *quartier des nègres.* C'était comme des reflets des vraies villes. Ils semblaient reproduire dans leur conception les relations psycho-analytiques entre le conscient et le subconscient.

Dans la ville de ----- où habitait ma famille — mes grands-parents — les Noirs venaient du quartier nègre à la tombée de la nuit. Ils lavaient les vitres des bureaux, balayaient les rues et les trottoirs et ramassaient les ordures.

Puis ils quittaient la ville avant l'ouverture des magasins. J'étais dans un cinéma — le seul de la ville — et je me levai au milieu du film pour aller aux toilettes. En remontant l'allée centrale, je remarquai qu'au balcon il n'y avait que des Noirs. Je découvris qu'ils n'avaient pas le droit de s'asseoir ailleurs qu'au balcon. Je crois qu'ils devaient acheter leurs tickets de cinéma à une certaine heure de la semaine. Ils ne pouvaient pas juste se présenter à la caisse, comme les Blancs.

Je pris la plupart de ces exemples de discrimination raciale comme une excentricité sudiste. Je ne tentai pas de réfléchir à ses implications.

Puis, un jour, je regardai les informations à la télévision. Il y avait un flash sur un fait divers qui se déroulait dans la ville même, à deux cents mètres environ. Je fermai la télévision et quittai la maison.

Un Noir grand comme une armoire à glace était collé, aux abois, contre un mur de la station d'autocars. C'était un fermier du *quartier de nègres* de la ville. Sa ferme devait bien donner car il avait un camion de marque internationale rempli de balles de foin bien faites. Il avait un petit garçon de neuf ans environ, resté dans la cabine du camion.

Le camion du fermier était garé en empiétant sur une des lignes blanches qui délimitaient les places de parking.

Mais il n'y avait pas d'autres véhicules arrêtés. Il était venu en ville pour acheter un bloc de glace. La station d'autocars, qui était à la lisière de la ville, comportait aussi une glacière.

Un flic avait mis au fermier noir une amende de deux cents dollars en lui donnant le choix — s'il ne payait pas tout de suite — d'être traîné en prison. Le fermier n'avait pas autant de liquide sur lui, aussi le flic essaya de l'arrêter. Le flic appela des renforts et huit ou neuf autres flics arrivèrent.

L'un essaya d'agripper le fermier, qui le poussa de côté. Au bord du parking il y avait ce qui restait d'une barrière en fil de fer barbelé : les pieux en cèdre plantés dans le sol. Le fermier arracha un pieu et se plaqua contre le mur en brandissant cette matraque dans une main. Il devait être fort comme un bœuf, car les pieux en cèdre sont toujours enfoncés profondément. Quand j'arrivai, les flics l'avaient entouré en demi-cercle et comme je l'ai dit, il avait le dos au mur.

Tous les flics avaient dégainé leur pistolet et le pointaient sur lui. Ils me crièrent de rester où j'étais, mais j'avançai quand même. Avant que j'atteigne les policiers, ils ouvrirent le feu sur le fermier. Je me figeai, parce que je ne pouvais croire ce que je voyais.

Le fermier était simplement debout là, la matraque levée. Il n'avait pas attaqué. Je l'entendis crier plusieurs fois : « Laissez-moi tranquille ! » Ils vidèrent leurs revolvers dans son corps. Il tressaillit à chaque balle. Ils tiraient avec des balles de calibre 44 — plus dévastatrices que les 357 magnum. Ils tiraient sur lui à soixante mètres environ. Il était mort avant d'avoir touché le sol.

Le petit garçon gémissait en regardant son papa mourir. Je vis que le camion était garé de telle manière que la roue avant, du côté du chauffeur, dépassait la ligne de démarcation blanche de quinze à vingt centimètres. Plus tard, la rumeur courut que c'était un de ces « cinglés de nègres ».

Quand je quittai le Texas par bus Greyhound, il y eut

un autre incident qui me frappa. Ces cars passent les frontières des États et une fois en route, il n'y a plus de réglementations raciales discriminatoires.

Je pris place près d'une fenêtre, au milieu du bus. Toutes les places étaient occupées, à part sept ou huit dans l'allée centrale. Un étudiant noir d'une vingtaine d'années monta. Il était le seul Noir dans le bus.

J'étais perdu dans mes pensées et je regardais par la fenêtre quand il s'arrêta et me demanda s'il pouvait prendre la place à côté de moi.

Je dis en pensant à autre chose : « Bien sûr, aucune importance. » Je n'étais toujours pas conscient de quoi que ce fût de particulier. Nous échangeâmes des banalités. Il était monté avec au moins un autre étudiant, un jeune Blanc de l'Idaho.

Quand le bus s'arrêta à un café pour le dîner, nous descendîmes et entrâmes dans le café. Je m'assis au comptoir avec l'étudiant noir. Je me rappelle vaguement lui avoir demandé où l'autre étudiant avait « disparu ». Puis nous avons tous les deux commandé à dîner à la serveuse.

En temps voulu, mon plat arriva. *Je commençai à manger.* Il demanda à la serveuse où en était sa commande. *Je continuai à manger.* Il demanda à la serveuse où en était sa commande. *Je finis de manger.* Il demanda à nouveau où en était sa commande, et alors je commençai à m'impatienter. Elle lui dit que son dîner était dans un sac de papier brun, « à emporter ». Toujours tellement innocent que je ne comprenais pas ce qui se passait, mes yeux allaient du Noir à la serveuse — mais il était clair qu'ils ne s'aimaient pas.

J'étais si bête que je crus que son dîner était à emporter parce que le bus allait partir avant qu'il ait le temps de finir de le manger.

Il prit le sac et paya son addition. Lui et moi sortîmes du café. Il y avait quinze ou vingt passagers plantés sur le trottoir le long du bus. Des Blancs.

Il alla sur la pelouse et je le suivis. Il s'assit là sur l'herbe et ouvrit son sac tout en parlant. Nous n'avons parlé de rien qui ait un rapport avec la situation — du moins je le pensais. Mais je me souviens maintenant qu'il n'arrêtait pas de me demander prudemment, entre deux bouchées, d'où j'étais, je n'arrêtais pas de lui dire que j'étais né dans le Michigan. Il mâchait sa nourriture, hochait la tête et clignait des yeux.

Les vieilles dames, les vieux messieurs et tous les autres nous observaient de près. Je me souviens qu'ils nous souriaient tous de manière très engageante. Nous étions les seuls sur la pelouse. Je pensais que c'était cela qui les amusait.

Je cherchai des yeux parmi eux l'autre étudiant, le Blanc. Je l'aperçus à plusieurs reprises, mais apparemment il ne me vit pas et ne m'entendit pas quand je l'appelai. Chaque fois que je l'apercevais ; je voyais que sa tête se détournait.

Nous remontâmes dans le bus et reprîmes nos sièges.

Pour la première fois j'eus la révélation que les Noirs n'étaient pas autorisés à manger dans un café. Nous étions toujours au Texas.

Je me souviens que nos conversations tournaient autour des villes des États-Unis. Il me dit qu'il aimait San Francisco. A ce moment-là, l'étudiant blanc parla. Vous savez comment ils s'y prennent : me fixant intensément, il s'adressa à l'étudiant noir et observa que je pourrais devenir riche là-bas.

« Comment ça ? » demandai-je, plein de curiosité.

L'étudiant blanc gloussa et le Noir expliqua tout.

« Michetonner », dit-il.

Et il dit calmement :

« Le mec est une gonzesse ! Tu vois ce que je veux dire ? »

Je crois que la seule autre expérience de discrimination raciale des Noirs que j'aie connue et qui m'impressionna avant d'aller en prison se passa à Salt Lake City.

Il y avait un grand dancing dont le propriétaire et le

gérant étaient des mormons. Il était situé juste à la lisière de ce qui était alors un quartier noir, au coin de Second East Street et de Seventh South Street, je crois.

L'endroit s'appelait Liberty Wells.

Défense d'entrer aux Noirs, aux Mexicains, ou aux Indiens. Les seules choses visibles du bus étaient les visages blancs de jeunes gens physiquement en bonne santé et même agréables à regarder, des Blancs de plus ou moins vingt ans. Ils avaient tous l'esprit lent des bestiaux, l'intelligence mauvaise d'une de ces vieilles filles de la période victorienne qui apprenaient aux enfants l'alphabet et la haine de soi.

Il était 10 ou 11 heures du soir et je marchais dans le coin. Je m'arrêtai au bord du trottoir, en attendant qu'il n'y ait plus de voitures. Je remarquai qu'il y avait un bal à Liberty Wells, situé dans l'exacte diagonale de l'endroit où je me trouvais.

Six ou sept Noirs de mon âge à peu près vinrent vers moi et attendirent aussi que la voie soit dégagée.

Je traversai la rue avec eux et je continuai de marcher le long du trottoir, juste en face de Liberty Wells.

Le trottoir était bordé par de gros arbres d'un côté et une chaîne de l'autre côté. Il n'y avait pas de lumière à cet endroit.

Les Noirs se resserrèrent autour de moi et je m'arrêtai. Le plus grand se tenait face à moi. La première chose qui me vint à l'esprit fut que j'aurais dû prendre mon revolver. Je lui dit de se pousser de mon chemin et m'avançai vers lui. Il dit :

— Avant, il faut te battre avec un de nous.

Et il poussa un plus petit que lui, effrayé, devant moi. Je le repoussai et fonçai sur leur porte-parole. Je lui décochai une bonne droite et l'attaquai en ignorant les coups qui venaient de tous côtés. Je marquai quelques points avant de heurter le sol. Je roulai jusqu'à la barrière et je ne pus que rester étendu en essayant de bloquer les coups.

Pendant qu'ils me rossaient, l'un d'eux n'arrêta pas de

crier quelque chose au sujet de quelqu'un qui ne savait pas danser. Puis ils dévalèrent jusqu'en bas du trottoir. Je me relevai et essuyai mes vêtements. Vingt Blancs environ étaient rassemblés au pied des marches qui menaient à la salle de danse et regardaient.

Je les regardai et je compris. Je poursuivis mon chemin.

Aujourd'hui je me rends compte que j'ai dû payer le prix plusieurs fois pour les injustices sociales commises par les Blancs dans cette société. Je n'ai jamais été proche d'eux, je n'ai jamais rien eu de commun avec eux. Et par ça je veux dire avec les Blancs qui peuvent commettre ces injustices raciales. Je n'étais jamais allé à un bal à Liberty Wells, et ça ne m'avait jamais rien dit.

Être attaqué par des Noirs, c'était une expérience qui était censée me tourner contre eux. Elle était supposée me forcer à rejoindre les rangs de la société blanche.

C'est une sorte de « rééducation » et dans beaucoup de systèmes carcéraux, c'est pratiquement la seule.

Je dirai qu'en gros cela a marché. Vous trouverez des prisonniers qui sont attirés par les doctrines racistes, mais cependant nettement moins que les policiers de Los Angeles et Orange County, par exemple. Je n'ai jamais oublié que sous les grandes robes du Ku Klux Klan on a de fortes chances de trouver un flic. D'ailleurs c'était Mussolini lui-même qui justifiait sa « révolution » de flics en disant que « le peuple travailleur ne sera heureux que lorsqu'il y aura un policier à chaque coin de rue ».

Excusez-moi, mais je n'ai jamais pu être pour la police !

Quand je pense à la *gravité* des injustices commises contre les Noirs en Amérique, je ressens une horreur que je peux difficilement décrire.

Je ne serais pas un homme si je croyais que les Noirs n'ont pas de *justification sociale* pour traiter les Blancs, tous les Blancs, de cette société avec haine et violence. Même au moment d'écrire ces mots je me rends compte que des garçons blancs se font violer et assassiner en prison, que des hommes et des femmes à peau blanche se font attaquer et tuer par des Noirs.

Il existe une justice sociale — ce n'est pas une question de justice individuelle. La société blanche a créé la société noire au moyen de la discrimination raciale. (L'expression « discrimination raciale » me semble à des années-lumière de cette horreur profonde qu'a inventée et entretenue la société blanche : le nègre.)

C'est la façon particulière dont la classe bourgeoise s'est développée en Amérique qui a provoqué cela. Je refuse de la dédouaner en offrant une « analyse de classe » de plus dans l'histoire de l'oppression raciale en Amérique. Quoi qu'il en soit, à l'origine, c'est une question de classe.

Ce n'est pas dans la *nature* de la « société blanche » — ou des cultures blanches — d'opprimer les autres peuples.

Il n'y a pas de démocratie pour les Noirs — pour tous les Américains non blancs — dans ce pays. L'Amérique est un pays pour l'homme blanc, et ceci n'est pas seulement le résultat de lois économiques aveugles.

Il m'est arrivé de lire de vieilles brochures contenant des procès-verbaux du Congrès des États-Unis au début du siècle, et il y avait un débat sur la nécessité d'une législation pour enrayer l'immigration étrangère en Amérique. Il en est résulté un système de quotas fondé sur la race uniquement. Les sénateurs étaient soucieux de freiner le flot d'immigrants chinois et japonais.

Je peux citer exactement le principe servant à déterminer les quotas : « Si l'Amérique doit rester un pays blanc, disait le sénateur (il n'était pas célèbre et j'ai oublié son nom), il est de notre devoir de limiter l'accès de ce pays aux races non européennes. »

Un système de quotas pour tous les immigrants fut

établi et voté par le Congrès pour faire en sorte que beaucoup plus de Blancs que de non Blancs entrent dans ce pays.

Je me souviens du jour où la prison d'État supprima la discrimination raciale. C'est incroyable d'y penser aujourd'hui. Il y avait exactement six Noirs sur huit cents prisonniers environ. La ségrégation d'un si petit nombre paraît maintenant absurde au-delà de toute expression, mais dans l'histoire de l'État — plus de cent ans — les prisonniers noirs avaient été tenus séparés. Les Chicanos et les Indiens représentaient près de la moitié de la population de la prison et n'avaient jamais fait l'objet d'une ségrégation.

Quand cela arriva — dans tout le pays — ce fut le début d'une lutte pour les droits de *tous* les prisonniers. Quand le décret sur les droits civiques entra en vigueur quelques années plus tard, il permit aux prisonniers d'avoir accès aux tribunaux fédéraux — et de porter plainte pour la défense de leurs droits, afin d'être libérés de la discrimination et de châtiments cruels et pervers. Ainsi commença une période de réforme des prisons qui eut un effet révolutionnaire sur les conditions de vie dans les prisons pour la grande majorité de tous les détenus.

Nous n'avions plus besoin d'avoir peur d'être torturés ou jetés au mitard pour avoir écrit à un juge, un avocat ou un sénateur. En gros, il devint possible de communiquer avec n'importe qui par les services postaux. Le magazine *Playboy* cessa d'être un article de contrebande passible de vingt-neuf jours de mitard en régime de « diète forcée ». Nous avons eu pour la première fois droit à des soins médicaux, à une alimentation et à des vêtements normaux. Nous avons eu le droit de ne pas être loués à des entreprises privées qui vous font travailler comme des esclaves au bout du fusil. Les écrans du parloir furent arrachés et pour la première fois nous pûmes toucher et embrasser les gens que nous aimions. Ils m'enlevèrent les chaînes fixées au sol et cessèrent de m'envoyer des gaz lacrymogènes pendant mon sommeil.

Utiliser les électrochocs pour punir les prisonniers fut déclaré contraire à la Constitution.

La liste est sans fin.

Il est vrai que lorsque cela entra en vigueur, on vit apparaître des formes d'abus plus « raffiné » et plus subtiles. On les vit apparaître sous la forme de prisonniers tuant d'autres prisonniers.

Jusqu'alors, il existait une entente entre prisonniers. Il y avait une frontière qui séparait les détenus du personnel de la prison et nous l'entendions tous ainsi. A cette époque, nous ne faisions qu'un. Nous étions unis non seulement dans notre misère, mais en tant qu'hommes ; en tant qu'hommes, quelle que soit notre race.

Il y avait de la violence et pire encore entre prisonniers, quand l'un d'eux — noir ou blanc — devenait indicateur.

Mais ce n'était rien comparé à la violence qui existe aujourd'hui entre détenus. Et cette violence peut se mesurer au nombre d'assistants sociaux, de psychologues, de sociologues ; au nombre d'employés de prison qui ne sont pas de simples gardiens. Il s'est passé cette chose typique chez ce monstre qu'est l'Amérique : les prisons n'essaient plus seulement de rééduquer les voleurs — leur but, conscient ou inconscient, est de transformer les prisonniers en *policiers*. De la même façon, l'État fait de criminels et de drogués des policiers en les transformant en indicateurs, en dehors de la prison.

La société, qui n'a jamais vraiment accepté les Noirs comme des égaux, leur donne « l'égalité » *seulement* en prison, où ils mettent immédiatement à profit cette égalité pour reprendre en prison ce dont la société du dehors les prive : le pouvoir.

Pour moi, le problème du racisme est politiquement dérangeant. Je pense que toute ma vie je me suis débattu avec cette idée. J'y vois une injustice aveugle de proportions si monstrueuses qu'il est difficile d'en saisir toutes les ramifications.

Dans les prisons, les races et les nationalités opprimées cherchent *immédiatement* à assurer sur les Blancs le type de suprématie auquel les Blancs les soumettent hors de prison. C'est presque une loi mécanique — et ne pouvait que l'être. C'est la seule occasion et le seul endroit de ce pays où la plupart des non Blancs peuvent accomplir la promesse de leur enfance, à savoir être des hommes.

Dans la plupart de mes lettres à ce sujet, j'avais fait l'erreur d'avoir présent à l'esprit l'idéal de la justice *individuelle* — alors que cela a toujours été une question de justice sociale.

... La justice n'est pas toujours sans violence et elle n'habite pas toujours l'individu. Elle est au-dessus des considérations intellectuelles et elle tire sa moralité des conséquences qu'elle entraîne.

... Le mot « nègre » est en lui-même offensif, je m'en suis aperçu, malgré les tentatives faites par les antiracistes intellectuels blancs ou noirs pour utiliser ce terme sans idée péjorative : pour le désamorcer. Rien ne peut racheter ce mot. Quand les Noirs se traitent de « nègre » entre eux, ils ont *admis* qu'en tant qu'êtres humains ils sont inférieurs. Il se passe la même chose quand les homosexuels se traitent de « folles » — ils ont admis qu'ils sont inférieurs en tant qu'hommes.

... C'est quelque chose dont j'ai été conscient dès que j'ai commencé à faire de la taule. Aussi longtemps qu'un régime carcéral peut tenir ses détenus prêts à se sauter à la gorge, alors il peut abuser et torturer ses prisonniers ; alors, les injustices faites aux détenus américains sont multipliées. Dans le Sud, les autorités des prisons utilisent principalement *une catégorie* de prisonniers qui se comportent comme des gardiens, des matons. On les appelle de divers noms (selon les États) détenus-gardiens, chefs de chambrée, prévôts ; la liste est colorée et chaque État du Sud a un nom à lui pour ces détenus. On leur donne *tout* le pouvoir des gardiens réguliers. Ils sont même armés de carabines.

Dans les États de l'Ouest, les prisonniers sont divisés selon leur race. Dans certains cas, les autorités pénitentiaires donnent aux Noirs, aux Chicanos et aux Indiens des privilèges qu'ils refusent aux Blancs. Dans d'autres cas, c'est aux Blancs qu'ils donnent tous les privilèges. Ils appliquent cela de diverses manières. Ils peuvent utiliser les organisations de détenus appelées « groupes culturels ». Ces groupes reçoivent des ressources dont ne disposent pas les autres détenus de races n'appartenant pas à tel ou tel « groupe culturel » (visiteurs pour des contacts sociaux quasi normaux, « liberté », etc.). Une autre méthode consiste à tracasser seulement *une* race — *aujourd'hui,* le plus souvent ce sont les détenus *blancs* qui sont torturés ou souffrent de discrimination.

A Leavenworth et à Atlanta, on me jetait toujours dans des cellules entièrement « noires », surtout au bloc si ces prisons contenaient jusqu'à quatre hommes par cellule. En dehors du bloc, il y a des cellules de huit hommes. J'y étais toujours le seul Blanc. L'idée était de me faire attaquer par des Noirs. L'idée était de me faire haïr les Noirs.

Personnellement je n'ai jamais eu de problèmes avec eux, ni au bloc ni dans la cour. C'est parce que je suis connu parmi eux. Mais mon cas est exceptionnel et, en règle générale, les Blancs sont transformés en racistes virulents par cette méthode.

Ils ont toujours placé avec moi les musulmans noirs les plus actifs, mais je n'ai jamais eu de problème. C'est parce que nous partageons une oppression commune : au fond, oppression de classe et oppression raciale sont identiques. Avant même que je connaisse le mot, un vieux Noir m'a raconté un jour, quand j'ai commencé à faire de la taule, que j'avais une « conscience de classe » (j'ai regardé dans mes livres pour savoir ce que c'était).

Chaque *pas* vers une réforme des prisons est précédée d'une période d'unité raciale entre *tous* les détenus. Les grèves du travail se déclenchent rapidement et se succèdent, les détenus rendent les coups qu'on leur donne et sont soutenus par tout le monde dans la cour. Le sabotage dans la cour — sur les chantiers — suit rapidement toute torture de prisonnier au mitard.

Une période pendant laquelle les matons s'adressent correctement aux prisonniers resserre leur union.

Nous fûmes entassés dans les cellules du mitard immédiatement après une émeute. Un détenu noir en fut tiré et battu violemment. Il avait la mâchoire cassée. Nous nous jetâmes sur les matons et nous mîmes en pièces tout ce qui nous tombait sous la main. Ceci se passait dans la plus grande prison fédérale. Les matons eurent même peur de nous laisser nous doucher. Ils craignaient qu'en ouvrant la porte d'une cellule nous ne les attaquions.

Trois semaines plus tard environ, ils nous laissèrent nous doucher un par un. Environ vingt matons escortaient un détenu pour aller à la douche et revenir à la cellule.

C'étaient des matons blancs ; ils se tenaient juste en face de la douche et me regardaient en essayant de prendre un air dégagé. L'un, nommé *Punchy,* dit d'une voix amicale :

— Nous sommes des Blancs comme toi. Ces Noirs ne t'aiment pas plus que nous.

Il me regarda et je me contentai de lui dire :

— Va bourrer ta mère.

Si les matons *me* parlaient comme cela, je sais qu'ils devaient faire pareil avec d'autres détenus blancs. Parfois quand je regarde les visages qui m'entourent je me pose des questions.

Nous avons été envoyés en prison *pour être brisés.* Les forces qui nous ont arrêtés nous ont donné un « procès honnête » et nous ont jetés en prison, crachent sur nos tripes et prient le ciel que nous n'existions pas.

Ce n'est pas par accident que nous nous trouvons plus souvent qu'à notre tour dans des conflits raciaux d'autodéfense avec d'autres prisonniers.

Ils veulent que nous nous entre-tuions. Tant que nous nous assassinons, nous rendons la tâche facile aux autorités de la prison et à la police qui veulent nous tenir et nous détruire.

Si j'avançais ici le chiffre des prisonniers tués ou blessés dans les prisons et les maisons d'arrêt au cours des dix dernières années en Amérique, vous pourriez comprendre un peu plus facilement qu'un conflit armé — une guerre, même si c'est une « petite guerre » — se déroule en ce moment même dans chaque État, chaque comté et chaque ville. Elle est orchestrée en ce moment même par la police.

Chaque jour de chaque année en Amérique, au moins quatre prisonniers meurent de mort violente en prison, et plus d'une centaine sont blessés.

Ils se servent des Noirs contre les Chicanos, les Blancs et les Portoricains. Et des Blancs contre les Chicanos et les Indiens et les Noirs et les Portoricains. Ils utilisent chaque race contre une autre et c'est pourquoi ils ne détruisent pas les prisons.

Les autorités des prisons « apprennent » aux détenus blancs à haïr les prisonniers non blancs, parce qu'après avoir été soumis au racisme toute leur vie au-dehors, les Noirs attaquent naturellement les détenus blancs en prison.

Les autorités veulent que les prisonniers blancs changent leur manière d'être et « retournent dans le sein de la société bourgeoise respectueuse des lois ». Voilà leur message, il est clair comme un son de cloche.

Les Blancs sont *forcés* de se défendre en prison, même si une partie de cette défense consiste à prendre une position offensive. Les prisons américaines ne sont pas des écoles de bonnes sœurs.

Les Blancs sont obligés de rester ensemble dans la plupart des grandes prisons, et de se défendre les uns les autres. Cela sera vrai tant que les prisonniers de toutes les races ne comprendront pas qu'il est de leur intérêt de vivre en harmonie et dans le respect mutuel.

Jusque-là, la destruction mutuelle sera leur lot.

Mais cela ne pourra jamais arriver. La police, les autorités des prisons, veilleront toujours à organiser nos vies en prison avec l'idée de nous garder prêts à nous sauter à la gorge les uns des autres.

Affaires étrangères

Les communistes qui *menèrent* les révolutions paysannes (et petites-bourgeoises) de 1848 en Allemagne ont échoué pour des raisons *politiques.* Les communistes n'avaient pas mis au point une politique correcte pour gagner les classes paysannes à la cause de la révolution prolétaire qui prenait de l'ampleur dans les villes de Pologne, à Paris et à Londres.

Les leçons tirées des analyses de Marx sur l'expérience communiste en France et en Allemagne ont fourni les fondements idéologiques du Parti communiste *léniniste,* qui appelait à une alliance de classe entre *ouvriers et paysans — une alliance* qui permette au prolétariat, faible en nombre dans les pays agricoles, de diriger le gouvernement.

La première révolution réussie *conduite* par le prolétariat communiste se déroula en Russie en 1917. Depuis lors, toute l'histoire du développement des nations a *basculé.* Le mouvement prolétaire a depuis 1917 rassemblé une telle force à travers le monde entier qu'une révolution prolétaire mondiale n'est pas loin. La révolution dépend de l'alliance ouvriers-paysans et de la capacité de celle-ci à conserver son *indépendance* (économique et politique) par rapport aux nations industrielles bourgeoises — concentrées pour la plupart en Europe, et plus particulièrement, l'Angleterre.

Toute nation *paysanne* qui se libère, en faisant alliance

avec le Parti communiste — *la dictature du prolétariat* — nous rapproche de l'heure de la révolution prolétarienne victorieuse qui, historiquement, sert de fer de lance à la révolution mondiale.

Ce qui se passe au Mexique, en Amérique centrale et du Sud, en Afrique et au Moyen-Orient — dans les pays du Tiers Monde — *fixera* cette heure, qui *est* inéluctable. Cela pourra prendre encore dix ans, cela pourra prendre encore trente ou cent ans — mais l'heure viendra. C'est inéluctable.

Quel rôle les superpuissances communistes joueront là-dedans, c'est une autre histoire. Il n'est pas impossible que la Chine et l'Union soviétique *retardent* la révolution mondiale. Je ne suis pas certain de leur place dans le mouvement communiste aujourd'hui. Il est sûr en tout cas qu'elles ne peuvent prétendre guider les autres nations (et ne sont *pas* l'*avant-garde*) simplement parce qu'elles sont puissantes et couvrent un immense territoire. Je dirais même que de petits pays tels que l'Albanie et le Mozambique, par exemple, pourraient bien jouer un rôle plus important dans le mouvement (*dans tous les sens du mot*) que les grands pays *communistes* comme la République populaire de Chine et l'Union soviétique.

Le rôle de ces superpuissances dépendra dans un sens *absolu* de l'assistance fournie aux révolutionnaires qui se battent pour défendre leur vie dans le Tiers Monde maintenant, *aujourd'hui* même. Ces révolutionnaires sont trempés comme l'acier dans une guerre révolutionnaire autour du pouvoir et sont donc en possession d'une plus grande conscience révolutionnaire.

Je suis avec les plus faibles et les plus opprimées de toutes les nations du Tiers Monde. C'est vers elles que je dirige mon attention. J'espère être en Angleterre quand la première révolution prolétaire victorieuse éclatera...

Il existe peut-être beaucoup de raisons pour lesquelles je pourrais « admirer » la Russie, mais la principale est celle-ci : il s'est développé en moi un sentiment qui vibre à l'âme russe — les plus grands prosateurs étaient russes. Je vois la Russie comme une masse d'humanité souffrante qui s'est vautrée si profond dans le bourbier que seules de grandes passions ont pu en résulter.

D'ailleurs, j'ai d'abord étudié Lénine, puis tous ses camarades. J'ai étudié l'histoire du Parti communiste qu'il dirigea. La « vieille garde » de la Russie et de toute l'Europe à l'époque de Lénine sont des présences très vivantes dans mon esprit. Les personnalités de Lénine et de tous ses camarades m'ont impressionné. J'ai le sentiment que je connais personnellement maintenant Liebknecht, Luxemburg, Kautsky, Radek, Boukharine, etc. Je peux même imaginer la conquête d'un pays aux côtés de mes camarades.

Voir la réalisation d'années de théories et de rêves ! Marcher avec les camarades, habillés de vêtements rapiécés, venant de tous les coins d'Europe et d'Amérique et parcourir un pays que nous venons de conquérir. Sentir la puissance qui est enfin la nôtre.

... J'ai lu au moins trois livres d'Alexandre Soljenitsyne : *Août 14, le Premier Cercle,* et *l'Archipel du Goulag.* J'ai également lu quelques articles de lui.

C'est un traître, pas au communisme (pour cela il faut d'abord avoir été communiste) mais à son peuple, à ses compatriotes. (Vous noterez à quel point l'Amérique est un refuge pour les traîtres les plus abjects.)

J'ai été ravi de lire *le Premier Cercle* parce que sous toute cette merde, j'en ai appris beaucoup sur la clémence de l'Union soviétique envers ses prisonniers. J'ai été en prison deux fois plus longtemps que lui, et je ne suis pas un traître qui a essayé de donner son pays à un autre. Il a fait dix ans de prison pour un crime qui aujourd'hui en Amérique serait certainement puni de mort. Sinon, il viendrait juste de commencer à purger à Leavenworth une peine perpétuelle. Dans l'un ou l'autre cas, il n'aurait jamais été libéré. J'ai fait plus de temps que lui, rien qu'au mitard.

Il était (est) un *militariste,* quelqu'un qui vénérait le militarisme *allemand.* Il n'est même pas un propagandiste : *c'est un menteur.* Il raconte ses mensonges, tisse son réseau d'inventions, avec un certain *style.* Le style de quelqu'un d'engagé. Une certaine passion. Cette passion revient seulement à se sortir par le mensonge d'un mauvais pas — et d'en jubiler.

... Je me suis fait la réflexion ce matin, que vous voyiez dans mon dégoût des « dissidents soviétiques » (comme Anatole Charansky) une *attitude prosoviétique.*

Il existe un mouvement — et ce mouvement est, ironiquement, né dans les prisons de félons soviétiques — visant à restaurer le communisme, le marxisme-léninisme, en Union soviétique. Je le soutiens.

Il existe en U.R.S.S. un mouvement petit-bourgeois visant à instaurer une liberté bourgeoise *complète.* J'y suis opposé. Les « dissidents », pour moi, les « dissidents » sont ridicules. Non seulement ils sont ridicules, mais je trouve en eux la preuve cynique de l'existence d' « intellectuels » mal éduqués que produit l'Union soviétique.

... Ma position sur Cuba et les relations de Cuba avec l'impérialisme social est la suivante : la marche de l'Histoire a contribué à forcer Cuba (si les « apparences » sont exactes) à s'agenouiller devant l'U.R.S.S. — à être un « précurseur » de l'impérialisme social. Tout d'abord, Cuba est *seule* dans l'hémisphère occidental. Cuba avait donc le choix entre capituler devant l'Amérique et restaurer les conditions antérieures à la révolution cubaine, ou s'aligner sur l'« empire communiste » de l'Union soviétique.

Je ne suis pas d'accord avec la politique étrangère de

Cuba parce que *Cuba n'a pas de politique étrangère.* Cuba a la politique étrangère de l'Union soviétique.

La seule façon pour Cuba de rompre avec l'impérialisme social serait que deux ou trois pays d'Amérique latine fassent une révolution victorieuse. Cela briserait son isolement, lui donnerait une voix dans l'hémisphère occidental et lui permettrait si nécessaire de former une sorte de bloc pour punir ses ennemis. C'était la conception qu'avait le *Che* des relations de Cuba par rapport aux autres puissances de cette partie du monde.

Je ne peux considérer d'un œil critique un nourrisson dont la seule source possible de nourriture se trouve dans les mamelles d'une louve.

Lénine a fait son traité de Brest-Litovsk, Staline son pacte avec Hitler. Lénine considérait son traité comme une manière de gagner du temps, d'obtenir un répit. Staline considérait son pacte comme nécessaire, ce qu'il était en effet, parce que les puissances occidentales voulaient opposer Hitler à la Russie, puis s'interposer et battre celui des deux camps qui sortirait victorieux.

Le traité de Lénine et le pacte de Staline ont été de brillantes manœuvres politiques. Leur réaction devant la réalité était splendide. Celle de Castro aussi.

Mao, le Parti communiste chinois et le pays sont objectivement trois entités séparées.

Je soutiens l'influence de Mao sur la révolution, sa contribution à la connaissance marxiste.

Je soutiens une Chine indépendante.

Sous Mao, la Chine avait une armée comme personne n'en a jamais vu. Elle n'avait pas les meilleures « armes », et elle ne s'appuyait d'ailleurs pas sur l'armement. Mais elle avait les meilleurs *soldats* parce qu'ils étaient formés politiquement, et à lui seul cet élément défie tout ce que nous avons connu (ou connaissons) sur la guerre de position classique.

Je crois que c'est là le cœur de la différence entre les doctrines militaires bourgeoises et les doctrines militaires de la guerre du peuple.

La première s'appuie sur les armes et le matériel, la seconde sur la vaillance du peuple. La seconde est nettement supérieure dans la lutte armée. Personne ne conteste plus sérieusement ce fait, ni au Pentagone ni ailleurs. La plus grande innovation dans la lutte armée au XXe siècle n'est pas la guerre nucléaire — c'est la découverte de la guerre du peuple.

Les armées capitalistes ne pourront jamais utiliser les méthodes de la guerre du peuple sans se *renverser* elles-mêmes.

Une conception très répandue est que les juifs d'U.R.S.S. qui veulent émigrer en Israël veulent y aller expressément pour prendre les *armes* contre les Palestiniens. C'est pourquoi beaucoup de gens émettent des réserves sur l'émigration massive de juifs d'U.R.S.S. vers Israël. Ce n'est *pas* mon opinion « automatique ». Je ne *soutiens* pas cette opinion, parce qu'honnêtement je ne sais pas. Je n'ai pas d'opinion, si ce n'est, bien sûr, que si les juifs veulent aller vivre là-bas pour les mêmes raisons qui font que l'on émigre vers un autre pays, ce serait un crime de vouloir les en empêcher. Mais il y a des rumeurs contraires, et le sionisme, je sais ce que c'est, contrairement au judaïsme.

Je frémis quand j'entends dire que la vie en Israël est comme la vie aux États-Unis. Si cela est supposé être une défense d'Israël, à moi cela me dit seulement combien ce pays est corrompu, malfaisant et horrible.

Si vous ne comprenez pas la nature dévastatrice de la violence civilisée — la violence à côté de laquelle les affreuses atrocités de la violence sauvage ne sont qu'enfantillages —, vous n'avez vraiment compris ni l'environnement de mes lettres ni leur contenu. Cette violence qui détruit le caractère d'un homme, sa morale, sa vie et son esprit et pervertit tous ses sens est la violence qui se tapit derrière les bannières du capitalisme et *se pose* comme une épidémie sur les républiques démocratiques industrielles.

Le shah d'Iran vous tranchera les mains, mais il ne vous prendra pas votre âme (parce qu'il ne *peut* pas). En Amérique, par exemple, si les prisons ont le moindre pouvoir sur vous, cela peut vous détruire et vous *détruira* — cela peut prendre votre âme et vous la prendra.

Je ne suis ni pour la violence *civilisée* ni pour la violence *sauvage.* Mais la violence civilisée est la pire des deux. C'est un ensemble de pulsions dépourvu de motivations personnelles qui imprègne tous les aspects de la vie dans la société bourgeoise. Marx appelait cela « aliénation ».

Aussi, si je dois considérer Israël « comme les États-Unis », je ressens de la crainte ; je ressens que la vie y est infiniment pire en qualité que, disons, même en Arabie Saoudite ou en Syrie avec leurs monarchies barbares et leurs tribus sauvages.

... J'aimerais que vous réfléchissiez un peu là-dessus. Supposons que demain toutes les nations arabes deviennent les *associées* d'Israël avec tout ce que cela implique. Les monarchies féodales seraient soutenues par tous les intérêts qui soutiennent l'existence d'Israël. L'effondrement inévitable de ces vieux systèmes féodaux serait tenu en échec pour Dieu sait combien de décennies.

La révolution serait étouffée. Nous *avons besoin* d'instabilité dans cette région du monde afin de soulever les gens dans cette région. Toutes les nations arabes commencent à en être conscientes. Nous avons besoin de déclencher des révolutions populaires et démocratiques dans toutes les nations arabes aujourd'hui, et c'est justement ce qu'essaient de faire les communistes.

Ce « grand pays » s'est évidemment *enflammé* d'indignation vertueuse sur la dernière farce de l'Ayatollah : obtenir un peu de justice des États-Unis en les forçant à extrader un des plus abominables criminels de guerre depuis le second conflit mondial. Imaginez comment les Israéliens auraient réagi si les États-Unis avaient non seulement donné asile à Adolf Hitler, mais l'avaient *fêté,* l'avaient traité en invité honoré. Personne ne débat de cet aspect, bien entendu. Ce sont les « méthodes » des Iraniens qui sont « discutées ».

Sortez dans les rues. Interrogez n'importe qui : depuis le simple badaud jusqu'aux « experts » en sciences politiques de Harvard ou de Yale. Voyez comme ils deviennent rouges, hargneux. Ils « s'excitent » contre les *enfants* iraniens de ce pays qui ont osé exprimer leur solidarité avec la révolution — enfin, après quarante ans de retard ; une révolution qui est à peine dans l'enfance : elle a six mois. Elle a *besoin de justice.* Cela veut dire que le shah *ne peut* aller libre dans le même monde que le peuple d'Iran. Un ami d'un ennemi est un ennemi. Infantile mais vrai.

Le vieux pus jaune de la lâcheté américaine bat à nouveau dans les veines de ce triste pays. Comment apparaît-il ? Dans le chauvinisme qui se pavane en sécurité dans son propre pays, loin du danger. Il est facile de parler « dangereusement », de renverser les gens quand vous êtes sur votre propre terrain, derrière tout un arsenal de milliers de missiles nucléaires, et un océan.

Cette merde me fout en l'air complètement si je ne pense pas à autre chose. Si je m'étendais là-dessus, je sais bien que je détruirais cette cellule, de rage.

Liberté ?

Les éclairs crépitent derrière les vitres et un torrent de pluie s'est déversé. Il est à peu près minuit et tout est calme, comme toujours pendant une grève de la faim. C'est mon heure de m'étirer et de me détendre.

Cette sorte de nuit — la pluie qui s'abat incessamment contre les vitres — m'a toujours apaisé. Le roulement du tonnerre gronde comme la grosse caisse dans un orchestre symphonique.

Quand il m'arrive de penser aux choses qui me rendent heureux, après toutes ces années, j'aime que ce soient des choses simples, simples parce que l'argent ne peut les acheter. L'argent est même un obstacle vers elles. Mais je sais que je demande trop. Pourtant, il ne s'agit pas de ce qui me plaît ou me déplaît, de ce que je « veux » ou désire. Ce n'est pas une question de goût personnel. C'est ce dont *j'ai besoin,* ce dont mon existence ne peut se passer. Certains l'appelleraient « revanche », d'autres, « revendication ». Je veux la justice.

Je ne veux pas rester en prison si longtemps que j'en viendrais un jour à lever les yeux au ciel et à crier aux étoiles ma douleur. Je ne veux à aucun prix en venir à la conclusion paradoxale que « ce n'est la faute de personne », comme on dit. Ou que cet état de choses a toujours existé et continuera d'exister dans notre monde. Ou que je me suis moi-même enfermé.

... Je ne sais pas comment je réagirais si quelqu'un, un homme ordinaire, un fonctionnaire, venait vers moi et me disait avec ses façons, son ton, sa *voix :* « Excusez-nous de ce que nous vous avons fait. Nous sommes désolés et nous ne recommencerons plus. »

S'il était vraiment sincère et que je le *savais,* un tel événement m'abattrait complètement. Je crois qu'il me changerait radicalement.

Je ferais aussi bien de ne plus y penser. C'est un peu comme l'homme qui dit : « Je ne croirai en Dieu que quand je le verrai. » En réalité son désir secret est de croire, et il croit *effectivement* en présupposant que Dieu existe pour pouvoir le « voir ». Mais il ne le « voit » jamais et n'est jamais réconcilié avec ses propres convictions par un acte divin objectif mais *personnel :* seulement par ses propres actes.

... Le fait principal qui est maintenant trop criant pour que je le passe sous silence et qu'il m'est *constitutionnellement* impossible d'exister en prison.

Ma vision de la vie hors de prison est devenue un rêve dont il ne reste que des bribes. Aussi je me demande si en fait ce n'est pas ce qu'elle a toujours été. Je crois que je veux sortir de prison comme l'homme moyen pense qu'il veut devenir millionnaire, ou, c'est un meilleur exemple, devenir un grand artiste comme Michel-Ange. En n'ayant pas la moindre idée des sacrifices et des efforts que cela demande à l'homme ordinaire.

A l'opposé de « ma vision de la vie en dehors de la prison », il y a la perception très acérée que j'ai d'une guerre révolutionnaire encore dans l'embryon — qui éclate par accès et meure tout aussi rapidement dans un jaillissement de sang et de violence à une échelle si microscopique qu'elle se déroule à l'insu de la perception quotidienne des événements par les gens de ce pays. Me rendre compte que, moi aussi, je ne serais sans doute qu'une de ces « fausses notes » à peine perceptibles qui meurent affreusement dans un jaillissement de sang et de violence inhumaine, de violence indifférente, n'est pas très encourageant. Et pourtant, ma vie pointe inexorablement dans cette direction. Cette vision a effacé la vision bucolique de la vie, la vie « normale ».

Les premiers révolutionnaires « naturels » nés dans une société meurent toujours en prison, après de longues tortures et des traitements dégradants. Ils sont toujours inconnus, sans soutien, et généralement inconscients de ce qu'ils sont réellement. Ils croient qu'ils meurent en « bons voleurs », en « bons prisonniers ».

De tels hommes sont décrits dans « le Catéchisme d'un révolutionnaire » de Natcheïev, mais il décrit leur être et non leur conscience immédiate en tant que révolutionnaires. Chaque particularité de notre société marque mon annihilation. C'est comme ça depuis ma naissance. La morale, les coutumes et les lois de notre société s'opposent par essence à mon existence.

Cela explique donc un peu pourquoi j'ai l'air de ne pas me préoccuper « réellement » de savoir si je serai un jour libéré de prison. Simplement mourir d'une mort violente dans un contexte plus vaste (un plus grand « jaillissement de sang ») plutôt qu'en prison peut être en soi une raison d'exister avec le désir de sortir de prison (le « contexte réduit », le petit « jaillissement de sang »). L'histoire ne retient que les grandes choses.

... Je ne peux pas imaginer comment je peux être heureux dans la société américaine. Après tout ce que cette société a fait, je suis plein de rancune. Je ne veux pas me venger ou punir. Je voudrais juste une sorte d'excuse. Un peu de considération. Juste une petite reconnaissance par la société de l'injustice que l'on m'a faite, sans parler d'autres comme moi.

Devrai-je me contenter de marcher librement le long des mêmes trottoirs que les hommes qui sont entrés dans ma cellule et m'ont battu, avec le plein assentiment de tous les autres ? Des hommes qui sont venus travailler et ont passé toute leur vie de travail à me tourmenter ?

Ou de marcher le long des rues avec les juges, les politiciens, les prêcheurs et les avocats qui ont consciemment conspiré à m'écraser en perpétrant des *mensonges* et des dissimulations ? Avec ceux qui ont appâté les pièges qu'ils me tendaient avec ma propre santé mentale ? Avec la justice ? Avec la pure et simple décence ?

Ou de marcher le long des rues avec les « masses anonymes » de notre société, qui durant ma vie ont soutenu ou encouragé des mauvais hommes et les ambitions de ceux-ci ? En pleine connaissance de cause, avec cynisme ?

Et si vous sortiez de chez vous et arrêtiez un de ceux-là, par hasard dans la rue ? Parlez-lui. Cela va peut-être vous amuser car il n'a jamais eu de pouvoir sur vous. Vous n'êtes pas soumis à son ignorance, à sa méchanceté foncière.

Mais si comme moi vous l'aviez été, vous ne trouveriez pas cela amusant. J'ai été toute ma vie sous sa botte arbitraire.

Combien je souhaite que ceci se termine. Combien je souhaite pouvoir aller libre dans le monde, retrouver ma vie et voir et faire les choses que les autres voient et font.

Mais je ne vois pas comment cela serait possible maintenant. Trop de choses me sont arrivées, pendant trop longtemps. Mais je vais essayer. C'est mon droit. *C'est* ce que veut dire « droit de l'homme ». *Mon* droit, le droit de *l'individu.* Nous avons tous ce droit même si nous savons au fond de notre cœur que nous sommes peut-être incapables d'accomplir ce que nous avons le droit *absolu* d'accomplir. Si la société a le droit de me faire ce qu'elle a fait (et continue de faire), et ce droit elle *l'a,* j'ai le droit, au moins, d'aller libre à un moment donné de ma vie, même si maintenant il y a beaucoup de chances que je ne sois pas comme les autres hommes.

... Je ne sais pas ce que cela me fait d'être libéré sur parole. La pensée d'être légalement libre s'est retirée de mon esprit, de mes sensations, il y a si longtemps, que vraiment je ne me souviens pas avoir jamais prévu, ou espéré, d'être un jour un homme libre dans ce pays avant la fin de ma vie. Peut-être plus tard je pourrai écrire là-dessus, mais pas maintenant.

Postface

Le samedi 18 juillet 1981, le jour même où le New York Times — Review of Books *consacrait à son livre un long et élogieux article* — Du néant surgit un homme exceptionnel avec un don littéraire exceptionnel, *Jack Henry Abbott poignardait à mort un serveur de restaurant. A la suite de quoi, quittant New York, il disparaissait par une impressionnante cavale qui allait durer deux mois. Mais en vérité, Abbott ne fuyait pas que vers sa prison ; par ce geste qui parut inexplicable, l'ex-détenu raturait son entrée dans la littérature d'un trait de sang.*

Il y avait eu ce livre. Désormais il y aurait l'« affaire » Abbott. Et ces deux phases alternent à la manière d'un balancier. L'affaire a suscité l'intérêt des media américains. Elle a semé la stupeur dans les milieux intellectuels new-yorkais ; par quelque bout qu'on la prenne, c'est une tragédie : aujourd'hui Abbott a rejoint la prison où il jurait de ne jamais retourner ; ceux qui espéraient pour lui un nouveau destin sont consternés. Et un homme est mort.

Par ironie absurde, la victime, un acteur d'origine cubaine âgé de 22 ans, venait d'écrire une pièce qui devait être représentée par le groupe expérimental du théâtre de La Mama. Récemment marié à une danseuse, Richard Adan travaillait à mi-temps dans le restaurant de son beau-père, le BiniBon, pour arrondir ses fins de mois. Sa pièce était consacrée aux Portoricains du Lower East

Side et peut-être lui aurait-elle apporté cette célébrité qui était venue surprendre Abbott.

Comment comprendre que deux écrivains, qui se sont croisés sans le savoir, soient sortis d'un restaurant à cinq heures du matin pour un duel à mort qui n'avait pour objet que l'accès aux toilettes ? Il faut faire retour à ce livre. Abbott y témoigne assez qu'il venait d'un monde où la peur du meurtre définit toutes les relations sociales et où une discussion un peu vive peut receler une menace de mort. Chaque jour, des détenus s'entre-tuent dans le ventre de la bête *pour des motifs largement identiques.*

Le samedi 18 juillet 1981, l'aube naissait sur Manhattan.

Dans la salle du BiniBon, rendez-vous d'artistes et de marginaux du Lower East Side, quartier réputé mal fréquenté. Un homme au teint pâle, grand et mince, moustachu, prenait son breakfast en compagnie des deux jeunes femmes qui l'avaient accompagné dans sa virée nocturne. Il n'y avait pas d'autres clients. Et deux employés en cuisine. Richard Adan faisait le service. Il venait de téléphoner à sa femme et ils avaient plaisanté un moment. Tout était calme.

Vers cinq heures, Abbott, déjà rendu nerveux par l'attitude peu amène du serveur, lui demande d'utiliser les toilettes. « Impossible », répond Adan. On ne peut y accéder qu'en traversant la cuisine ; pour des questions d'assurance elles sont réservées au seul personnel. En outre, le BiniBon est ouvert vingt-quatre heures par jour et sa direction veut décourager une certaine faune du quartier de les utiliser. Dans la mesure où le Lower East Side est un lieu de relégation pour des malades mentaux expulsés des hôpitaux et aussi pour des prisonniers récemment libérés, il est vraisemblable qu'Abbott à qui on venait de notifier devant deux femmes cette interdiction put prendre l'argument pour une insulte personnelle : lui-même, depuis qu'il avait quitté le pénitencier de l'Utah, le 5 juin dernier, vivait à l'Armée du Salut, deux blocs plus bas, en attendant sa libération sur parole, fixée au 25 août.

Les deux hommes argumentent sur un ton mesuré. Puis

Adan invite Abbott à le suivre dehors et ils s'éloignent en parlant à voix basse. Personne ne saura ce qu'ils se sont dit. En tout cas, Abbott affirmera s'être senti menacé. L'instant d'après, Richard Adan était poignardé à mort. Une mort que de toute évidence, Abbott n'avait pas voulue. Les jurés le reconnaîtront plus tard.

Déjà Abbott se précipite vers le restaurant et entraîne avec lui les deux femmes, une Française et une Philippine. Elles le lâchent un peu plus loin et sont vite rattrapées par une voiture de police. Dans la matinée, le détective Bill Majeski apprendra le nom du suspect. Abbott a trente-sept ans. Il a passé vingt-cinq ans en prison. Après sa capture, le 23 septembre, il déclarera : « La seule chose que j'aie jamais apprise de l'extérieur, c'est à fuir. » *Sa fuite devait le mener des bas-fonds et des cercles dorés de Manhattan aux déserts de la péninsule du Yucatan, au Mexique, puis aux champs de pétrole de la côte du golfe de Louisiane.*

Après le meurtre, Abbott est retourné à l'Armée du Salut pour récupérer 200 dollars cachés dans sa chambre. Puis un taxi l'a conduit à la gare routière principale de Manhattan, sur le West Side. La course lui a coûté 8 dollars. Il se sait à court d'argent. Pas question de prendre l'avion. Il a téléphoné à Norman Mailer, dans le Massachusetts, et il l'a réveillé ; il lui déclare qu'il le rappellera. Il ne le fera pas. Puis il panique : convaincu que la police est déjà sur ses traces, il se précipite hors de la gare. Pendant des heures il erre dans les rues. Un crochet l'amène, sur Lexington avenue, à son agence de la City Bank où son compte est provisionné d'un millier de dollars, reste des 12 000 dollars qu'il a touchés comme à-valoir et qu'il a dépensés, principalement en frais d'avocats. Bien entendu, la banque est fermée. On avait vu Abbott à la télévision avec Mailer dans l'émission Good Morning America ; *il avait donné des interviews, il préparait des articles, il venait de signer un contrat avec un agent littéraire. On l'avait invité à des parties.*

Récemment, au cours d'un dîner organisé dans un restaurant chic de Greenwich Village, ses amis avaient fêté au champagne l'élargissement du cercle littéraire. Il était à l'honneur dans l'intelligentsia. Étrange initiation à la vie en société pour un homme qui était incapable de prendre seul le métro, ne savait pas où acheter un tube de dentifrice et n'avait aucune idée sur la manière d'ouvrir un compte en banque. Et qui ignorait que les banques sont fermées le samedi...

Encore incertain sur le moyen de quitter New York, Abbott téléphone à un ami de Norman Mailer, l'écrivain Jean Malaquais qui l'invite aussitôt pour le brunch *dans son appartement de l'Upper East Side. Durant le* brunch, *Abbott, s'il parle surtout de livres et de lectures, ne mentionne pas l'événement. Dans l'après-midi il descend au bas de Manhattan et prend le ferry pour Staten Island d'où il a entendu dire que des bus partent pour le New Jersey.*

Mais Abbott connaît mal New York. Son bus le ramène à l'endroit précis qu'il a quitté le matin même... à la gare routière ! Alors il achète un billet pour Philadelphie, dort dans le bus ; et un autre billet pour Chicago, où il prend une chambre d'hôtel. Puis il voyage, toujours en bus, jusqu'au sud du Texas. A Laredo, n'ayant pas de papiers, il dépense 50 dollars pour obtenir d'un policier mexicain le passage à la frontière. Son argent est déjà au plus bas quand il arrive à Mexico où il parvient à retrouver des personnes qu'il a connues à New York.

Les jours suivants sont consacrés à la recherche d'une cache. Abbott, que ses amis ont conduit dans le Yucatan, est prêt à se réfugier n'importe où. Fût-ce dans ces huttes misérables pas plus grandes que des cellules où des gens font la cuisine dans des boîtes de conserve, à même le sol, au milieu des mouches. Mais il joue de malchance : il n'y a pas de place pour le fugitif.

Abbott repart, seul cette fois. A Merida, il s'enquiert de la présence d'un archéologue rencontré à New York et pour le compte duquel il pourrait travailler. Mais les Indiens locaux parlent l'espagnol encore moins que lui et personne ne peut le renseigner. On est en août, la chaleur est insupportable. Le soleil et une nourriture mexicaine à bon marché trop épicée vont le faire délirer. Cet homme n'est habitué qu'aux rations de l'administration pénitentiaire et à l'air climatisé.

A Veracruz, Abbott cherche à s'embarquer pour Cuba, pays qu'il admire depuis longtemps. Aucun espoir. Et plus d'argent. C'est donc à Veracruz, où des Mexicains lui ont affirmé qu'il trouverait du travail sur les champs de pétrole de Louisiane, qu'Abbott prend la décision fatale de retourner sur le territoire américain.

Pendant ce temps, son livre fait un « tabac ». Les critiques ont été unanimes : « Terrifiant », « s'impose absolument » (le New York Times*) ; « la matière du mythe », « l'émergence d'un écrivain authentique » (le* Washington Post*) ; « remarquablement puissant et éloquent » (*Publisher's Weekly*) ; « l'un des livres les plus importants de notre époque. Son sujet : la survie » (*Vogue*) ; « Écoutez le chant de cet homme. Vous ne saurez rien de la prison avant » (*Soho News*). Le livre en est à son troisième tirage, on le trouve sur la liste des best-sellers, mais l'intelligentsia règle ses comptes et prodigue ses jugements par journaux interposés. Ces mêmes journaux qui ont salué l'événement posent à présent la même question : peut-on sortir de l'enfer et devenir un ange ? En d'autres mots : qui est coupable de Jack Henry Abbott ?*

Du Mexique, par l'intermédiaire de sa sœur qui réside à Salt Lake City, Abbott a fait parvenir deux lettres, sans leur cachet original, à ses connaissances littéraires. Aucune ne mentionne le meurtre pour lequel toutes les polices américaines le recherchent. Dans la première, qui commence par ces mots : « Étant donné les récents événements et le fait que je suis incapable de prendre en main mes propres affaires... », Abbott lègue ses droits d'auteur à sa sœur. (Son livre vient d'être acheté par une demi-douzaine d'éditeurs étrangers. Ses droits pourraient représenter 250 000 dollars.)

Dans la seconde lettre, Abbott autorise sa sœur à signer un contrat avec la Metro Goldwyn Mayer, qui s'est déclarée prête à faire un film cinématographique ou télé-visuel à partir de sa vie et de son œuvre. L'auteur pourrait toucher entre 50 000 et 100 000 dollars. Une loi de l'État de New York, votée en 1977 et connue sous le nom de loi « Son of Sam », restreint le droit des criminels à profiter des bénéfices financiers de leur œuvre. Le film consacré à Abbott servira donc de test.

Pour l'heure, le revoilà au Texas, et dramatiquement sans argent. Il a repassé la frontière. Pour gagner la Louisiane, il fait de l'auto-stop et marche à étapes forcées. Au début du mois de septembre, on le signale à La Nouvelle-Orléans. Dans cette ville, pendant une semaine, il vend des hot dogs ; une nuit il se loue pour ramasser les ordures. A la mi-septembre, après avoir travaillé dans une usine de crevettes, il gagne Morgan City où il trouve effectivement un poste de manœuvre sur un chantier de pipe-lines. Pour la première fois depuis sa fuite du BiniBon, il se sent mieux. Il a repris du poids. Il trouve même son travail revigorant après toutes ces années d'immobilité. Il se croit à l'abri. Tout ce qu'il désire c'est s'arrêter, respirer et reprendre le temps de penser.

C'était compter sans la police. Car Abbott était le gibier comme le détective Majeski était le chasseur. Et partout où il avait passé, le gibier avait laissé des traces en dépit des pseudonymes. Non seulement Abbott n'avait pas changé d'apparence — il était trop orgueilleux pour ça — mais il était aisément repérable. On l'avait vu à Philadelphie, à Chicago, à Mexico City ; on l'avait repéré en Louisiane. Plusieurs témoins avaient noté les lettres J A C K tatouées à l'encre bleue sur les quatre premiers doigts de sa main gauche.

Majeski, le 18 juin à l'aube, est le seul détective en fonctions dans le 9e commissariat de New York, dont dépend le Lower East Side. Il s'est emparé de l'affaire dès les premières minutes du drame — c'est le « coup » de sa carrière. Pendant des semaines il va suivre le parcours du fugitif sur une carte murale épinglée dans son garage. Très vite il a su l'essentiel : le passé d'Abbott, les conditions de sa libération conditionnelle et sa relation avec

Norman Mailer, qui l'avait engagé comme documentaliste pour lui garantir un emploi. D'ailleurs, dans la nuit du 18 au 19 juin, le détective a appelé l'écrivain et Mailer, atterré, n'a pu que lui confirmer les noms de la demi-douzaine de personnes avec lesquelles son protégé a entretenu des rapports personnels durant six semaines.

Majeski a également lu le livre ; il en a retenu un argument essentiel : Abbott est intelligent et bien informé, mais il ne sait rien sur la vie quotidienne. Après quinze ans de pénitencier, de même qu'il n'a pu vivre dans le Lower East Side sans la présence de ses nouveaux amis, de même il devrait être incapable de survivre sans un appui.

Le détective a joint l'écrivain Jean Malaquais, Erroll McDonald, le directeur de collection d'Abbott, Scott Meredith, l'agent de Mailer, Bob Silver, le rédacteur en chef du New York Times — Review of Books *(grâce auquel, en juin 1980, une partie de la correspondance Mailer-Abbott a été publiée pour la première fois) : ils n'ont rien à dire. Jerzy Kosinski, qui avait autrefois correspondu avec Abbott, et l'avait rencontré au cours du dîner offert en son honneur, déclarera « Je peux me blâmer de faire partie du chic radical. J'ai voulu accueillir un écrivain, célébrer sa naissance intellectuelle. J'aurais dû accueillir un prisonnier récemment libéré, un homme d'une autre planète qui avait besoin d'apprendre à contrôler ses émotions négatives. Émotionnellement il était déséquilibré. Pour lui tout était un coup de foudre d'amour ou de haine* (easy live et easy hate). *On pouvait sentir ça dans l'homme. »*

La traque fut précise, avec son pourcentage de hasard et de technicité. A la mi-septembre, Majeski sait où Abbott se terre. Un informateur, qu'il refusera d'identifier, l'a localisé. Psychologiquement, Abbott serait à la dérive ; il n'accrocherait plus avec autrui. Il a la poisse.

Le 23 septembre, au soixante-huitième soir de sa cavale, Jack Henry Abbott se lavait les mains après une journée de travail à l'extérieur de Morgan City, quand il vit arriver sur le chantier une camionnette avec plusieurs hommes portant les couleurs rouge et blanc de la compagnie pétrolière. La veille, il y avait eu un conflit entre les travailleurs et la direction et Abbott observait la scène en se demandant ce qui allait se passer. Mais les hommes se rapprochaient, ils l'entouraient, et soudain l'un d'entre eux lança : « OK, Jack, this is it. »

JEAN-FRANÇOIS CHAIX

Table des matières

Cet ouvrage
a été achevé d'imprimer
dans les ateliers de la S.E.P.C.
à Saint-Amand (Cher), le 10 mars 1982.
ISBN 2-89085-004-8
Dépôt légal : 1er trimestre 1982.
Bibliothèque nationale du Québec.
N° d'impression 450-231.
Imprimé en France.